KB171929

국민대학교 문화교차연구소
스피노자 윤리학 연구총서 5

신을 향한 지적인 사랑

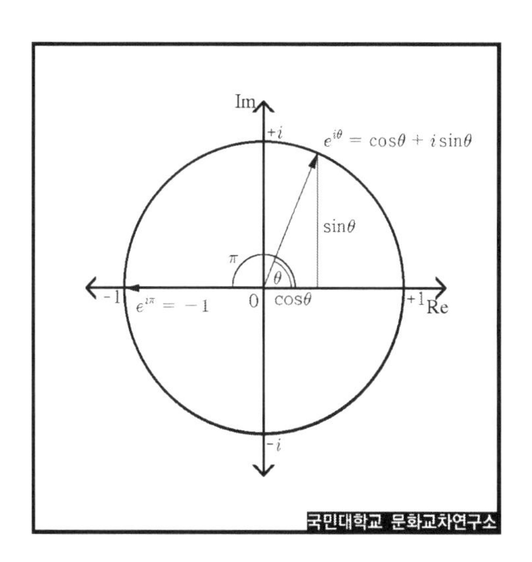

국민대학교 문화교차연구소
스피노자 윤리학 연구총서 5

신을 향한 지적인 사랑

발 행 | 2024년 1월 10일
저 자 | 성동권
펴낸이 | 한건희
펴낸곳 | 주식회사 부크크
출판사등록 | 2014.07.15.(제2014-16호)
주 소 | 서울특별시 금천구 가산디지털1로 119 SK트윈타워 A동 305호
전 화 | 1670-8316
이메일 | info@bookk.co.kr

ISBN | 979-11-410-6608-6

www.bookk.co.kr

국민대학교 문화교차연구소
스피노자 윤리학 연구총서 5

신을 향한 지적인 사랑

성동권

국민대학교 문화교차연구소
스피노자 윤리학 연구총서 5

「 신을 향한 지적인 사랑 」

목 차

스피노자 에티카 5부 서문

스피노자 에티카 5부 공리

스피노자 에티카 5부 정리

서문 1: 나의 벗에게 드리는 편지

이 책은 스피노자의 『윤리학』「5부」《지성의 힘 또는 인간의 자유에 관하여》에 대한 감정과학의 연구입니다. 국민대학교 문화교차연구소는 5부로 구성된 스피노자의 『에티카』(윤리학)를 감정과학으로 연구하는 총서 시리즈를 출판하고 있습니다. 이번에 출판하는 제5권은 이번 시리즈의 마지막입니다. 그동안 출판된 책을 소개하면 다음과 같습니다.

제1권. 『감정으로 존재하는 신』
: 이 책은 『에티카』 제1부「신에 관하여」를 감정과학으로 분석했습니다.

제2권. 『신의 존재를 증명하는 감정』
: 이 책은 『에티카』 제2부「마음의 본성과 기원에 관하여」를 감정과학으로 분석했습니다.

제3권. 『욕망의 이성』
: 이 책은 『에티카』 제3부「감정의 기원과 본성에 관하여」를 감정과학으로 분석했습니다.

제4권. 『감정의 예속과 자유』
: 이 책은 『에티카』 제4부「인간의 예속 또는 감정의 힘에 대하여」를 감정과학으로 분석했습니다.

스피노자의 『에티카』를 칸트의 『순수이성비판』 또는 헤겔의 『정신현상학』과 비교해보면, 분량이 매우 적습니다. 그만큼 이 책은 단순하며, 그만큼 아름답습니다. '단순한 것이 아름답다.'는 수학의 진리를 인간에 대한 참다운 이해를 추구하는 철학으로 증명한 학문론이 스피노자의 윤리학입니다. 여기에서 '단순함'이란 학문의 요점을 명백하게 보여줌으로써 배우는 사람으로 하여금 자신의 생각만으로 쉽고 분명하게 이해할 수 있도록 인도한다는 것을 뜻합니다. 스피노자(1632~1677)의 이러한 학문 방법은 퇴계(1501~1570)에게 '요'(要)입니다. 학문은 분량으로 하는 것이 아니라 최대한 간단하고 쉽게 핵심 요점만을 확실하게 이해하는 것입니다.

이번에 우리가 공부하는 『에티카』의 5부는 이처럼 단순하며 아름다운 스피노자의 윤리학을 더욱 더 단순하고 아름답게 정리합니다. 스피노자의 『에티카』는 감정에 대한 타당한 인식을 추구하는 학문입니다. 이 학문이 '윤리학'이라는 이름으로 제시되는 이유는 사실 매우 간단합니다. 감정을 느끼며 감정으로 살아가는 우리가 자신의 감정 및 자연의 모든 감정을 타당하게 이해할 때, 최상의 행복을 누릴 수 있을 뿐만 아니라 모두가 기분 좋은 '다 좋은 세상'을 누릴 수 있습니다. 그러나 매우 유감스럽게도 스피노자의 윤리학이 감정을 최고의 완전성으로 이해하는 감정과학이라는 사실을 그 누구도 분명하게 밝혀주지 못하고 있습니다. 국민대학교 문화교차연구소가 스피노자 윤리학 총서를 기획하고 출판하게 된 배경입니다.

인간의 본질은 감정입니다. 그렇기 때문에 감정에 대한 올바른 이해가 인간 본질에 대한 올바른 이해입니다. 우리가 이 논점을 이해한다면, 인간을 배우는 학문의 핵심이 의지력에 있지 않다는 것을 쉽게 알 수 있습니다. 인간이 매 순간 새롭게 느끼는 자기의 감정 또는 무한히 새롭게 경험하는 자연의 감정을 올바르게 이해하는 정신력이 무엇인지 확인하며 가르치는 것이 올바른 학문입니다. 이러한 학문론을 기하학적 질서에 따라서 질서정연하게 설명하는 것이 스피노자의 윤리학입니다. 여기에서 '기하학적 질서'란 어려운 개념이 아닙니다. 스스로 생각해 보면 스스로 분명하게 이해한다는 뜻입니다. 따라서 스피노자의 학문론은 칸트의 그것과 달리 의지력이 아닌 정신력에 기초합니다.

이제부터 매우 중요합니다. 의지력이 아니라 정신력이라고 했습니다. 누구의 정신력일까요? 우리 자신의 정신력입니다. 엄밀히 말해서 스피노자의 정신력이 아닙니다. 인간의 본질이 감정에 있다고 할 때, 감정은 누구의 감정일까요? 무엇보다도 우리 자신의 감정입니다. 이 사실이 우리에게 분명하다면 정신력은 당연히 우리 자신의 정신력이며, 핵심은 우리 자신의 감정에 대한 올바른 이해를 형성하는 지성입니다. 그런데 우리 자신의 본질이 감정이라면, 감정을 떠나서 정신력이 따로 존재할 수 있을까요? 이 물음에 대한 답이 감정에 대한 스피노자의 기본 정의입니다. 감정은 몸의 순간 변화이며, 동시에 생각하는 마음이 그에 대한 개념을 형성하는 것입니다. 따라서 감정은 서로 다른 몸과 마음이 본래 하나라는 사실을 증명하며, 이로부터 정신력의 주체도 감정이라는 결론이 나옵니다.

감정이 자신의 정신력으로 자신을 참답게 이해하는 것이 학문의 핵심이라면, 이 학문의 본질은 '감정의 자기이해'입니다. 이 이해로 우리를 인도하는 것이 스피노자의 윤리학이므로 이 학문의 핵심은 당연히 감정의 자기이해입니다. 그리고 이 이해를 인과의 필연성에 근거할 뿐만 아니라 그것을 영원무한으로 확인해 나아간다면, 이 학문은 당연히 최고의 과학입니다. 왜냐하면 과학은 무엇보다도 인과의 필연성에 기초하며, 그 기초 위에서 영원무한으로 필연성을 확인한다면 그 이상의 완전한 과학은 없기 때문입니다. 이 방식으로 감정을 이해하는 한에서 '감정의 자기이해'는 당연히 '감정과학'입니다. 따라서 단 하나의 영원무한으로 감정의 필연성을 확인하는 감정과학은 가장 단순하며 아름다운 학문론입니다.

스피노자 윤리학 연구총서 제5권의 제목은 『신을 향한 지적인 사랑』입니다. 우리의 일상에서 느끼거나 경험하는 감정을 겉모습이 아닌 그 자체에 고유한 영원무한의 필연성으로 이해하면, 그것이 곧 신을 이해하는 삶의 성스러운 축복이라는 뜻입니다. 가장 완전하고 가장 아름다운 신을 알고 싶거나 만나고 싶은 사람이 있다면, 방법은 간단합니다. 매순간 무한히 새로운 자신의 감정 또는 자연의 감정에 나아가 그에 고유한 본성의 필연성을 영원무한으로 배워서 이해하면, 그 순간이 신을 만나는 성스럽고 장엄한 순간입니다. 이 이해를 형성하는 자신은 신 안에서 신과 본래 하나인 자리에서 신성 그 자체로 살아가는 영원무한의 생명과 사랑 그 자체입니다.

영원으로부터 영원에 이르는 영원성으로 우리는 본래부터 천국에서 태어나 천국에서 살아가는 축복 받은 존재입니다. 자연의 진실이기도 합니다. 이 사실을 배워서 알면 천국을 누리지만, 뜻밖에 이 사실을 배우지 않아서 모르게 되면 천국 안에 있으면서도 천국이 없다는 생각으로 천국을 구하려고 합니다. 성철 스님 말씀처럼 바다 속에 있으면서 바닷물을 구하는 격입니다. 이처럼 안타까운 비극이 어디에 있을까요. 부디 우리 모두가 스피노자의 윤리학을 연마함으로써 마땅히 누려야할 축복을 누리기 바랍니다. 끝으로 스피노자의 윤리학을 지식 거래가 아닌 자기이해의 배움으로 연마하는 소중한 나의 벗에게 이 책의 영광을 돌립니다.

국민대학교 문화교차연구소장

성동권 올림.

서문 2: 감정과학으로서 스피노자의 윤리학

감정

감정은 몸과 마음으로 생겨나서 몸과 마음으로 살아가는 '나'의 진실입니다. '나'는 단 하나이며, '나'는 몸과 마음으로 존재하기 때문에 나의 몸이 변화하면 나의 마음도 그와 동시에 변화합니다. 그런데 마음은 생각하는 것이므로 생각의 결과 구체적인 관념을 형성합니다. 우리는 이것으로 마음의 변화가 무엇인지 이해할 수 있습니다. 마음의 변화란 몸의 변화에 대해서 구체적인 관념을 형성하는 것입니다. 이 관념을 '감정'이라고 정의합니다. 따라서 감정은 서로 다른 몸과 마음이 본래 하나라는 사실을 증명합니다.

단 하나로 존재하는 '나'는 서로 다른 몸과 마음으로 구성되어 있습니다. 이 사실에 근거하여 몸이 변화하면 당연히 마음도 변화해야 합니다. 그렇지 않으면 '단 하나'로 존재하는 '나'는 서로 다른 몸과 마음으로 분열되어 '두 개'의 존재가 됩니다. 이것이 얼마나 터무니없는 것인지는 뜻밖에 서로 다른 몸과 마음이 본래 하나라는 사실을 증명하는 감정에 의해서 증명됩니다. 나의 몸이 배고픔을 '느낄 때'(변화할 때), 이와 정반대로 나의 마음은 배부름을 '느낄 수'(변화할 수) 있을까요? 서로 다른 몸과 마음은 본래 하나입니다.

서로 다른 몸과 마음으로 생겨나서 지금 현재를 살아가고 있는 '나'는 '감정'입니다. '감정'을 떠나서 '나'의 존재가 없습니다. 그런데 이 진실은 지금 '나'만의 진실이 아닙니다. 몸과 마음으로 생겨나서 살아가는 우리 모두를 비롯해서 자연의 천지만물에 고유한 진실입니다. 엄격히 말해서 몸으로 생겨나서 몸으로 살아가는 모든 것은 감정으로 존재합니다. 그리고 그 모든 것은 자신의 감정을 특정 언어나 소리 또는 표정으로 표현합니다. 따라서 몸으로 살아가는 것은 마음으로도 살아갑니다.

몸으로 존재하는 것은 마음으로 존재하며, 이 존재는 사실상 감정입니다. 이 진실로부터 '자연이 곧 감정'이라는 결론이 나옵니다. 이 결론에 근거하여 인간은 반드시 감정을 배워서 이해해야 합니다. 그것이 인간에 대한 이해이며, 인간이 모여서 이룬 문명에 대한 이해이며, 인간이 살아가는 자연에 대한 이해입니다. 감정으로 존재하는 인간이며 감정으로 살아가는 인간입니다. 동시에 자연을 구성하는 천지만물에 공통된 진리입니다. 따라서 감정을 떠나서 인간이 배울 것이 따로 없습니다.

감정과학

학문의 기초는 감정입니다. 감정을 이해하지 못한 인간은 그 어떤 학문도 올바르게 할 수 없습니다. 학문을 담당하는 연구자 자신도 감정으로 존재하며, 연구자가 연구하는 대상도 감정으로 존재합니다. 감정을 이해하지 않으면 연구자 자신을 이해할 수 없게 되며, 궁극적으로 연구 대상에 대해서도 이해할 수 없게 됩니다. 따라서 학문의 기초는 감정이며, 감정에 대한 타당한 인식이 학문의 성공을 결정하는 방법입니다.

인간의 학문이 감정에 대한 타당한 인식에 있다는 학문론이 '감정과학'(Science of Feelings)입니다. 여기에서 중요한 키워드는 '과학'입니다. 과학에서 가장 중요한 것은 무엇일까요? 원인과 결과의 필연성입니다. 이 필연성을 향한 명석판명의 이해가 과학입니다. 이것을 부정하면 과학은 성립할 수 없습니다. 과학은 현상에 대한 추측이나 해석이 아닙니다. 이런 방식으로 학문을 하면 학문은 절대 발전할 수 없습니다. 오히려 학문은 반드시 타락하며, 온갖 미신과 종교적 사기꾼들을 양상하게 됩니다.

예를 들어서 내가 길을 걷고 있는데 머리에 기와가 떨어져서 죽게 되었다고 상상해 봅시다. 기와가 머리 위에 떨어지면 머리가 부서지고, 그 결과 죽게 됩니다. 이 경우 인과의 필연성을 배우는 사람은 기와가 왜 떨어지게 되었는지 이해하고, 앞으로 절대 그런 일이 발생하지 않도록 방법을 찾아냅니다. 그러나 이와 반대로 '왜 머리 위에 기와가 떨어지게 되었을까요?' '왜 나는 그 기와 밑을 걸었을까요?'라는 질문을 할 수 있습니다. 이 질문은 결국 인간이 알 수 없는 어떤 절대자가 그 모든 일을 계획(목적)했다는 결론에 도달할 때까지 멈추지 않습니다. 여기에서 미신과 거짓말쟁이들이 쏟아집니다.

인간의 행복과 인간이 이룬 문명의 번영은 인과의 필연성을 인식하는 과학에 근거해야 합니다. 그렇지 않으면 거짓과 불행의 길을 걷게 됩니다. 감정에 대한 이해도 인과의 필연성을 인식하는 과학에 근거해야 한다는 것이 감정과학입니다. 감정은 몸이 변화한 결과이며 변화에는 그에 고유한 인과의 필연성이 존재합니다. 왜냐하면 변화라는 말은 변화의 결과를 수반하므로, 결과의 존재로부터 원인의 존재가 영원의 필연성이기 때문입니다. 따라서 감정과학은 당연합니다.

감정과학으로서 스피노자의 『윤리학』

스피노자에 의하면 감정에 대한 과학적 탐구로서 '감정과학'은 감정에 대한 정의로부터 지극히 당연합니다. 감정은 몸의 변화이며 이 변화와 동시에 이루어지는 마음의 변화로서 변화에 대한 관념의 형성입니다. 여기에서 핵심은 '몸의 변화'입니다. 서로 다른 몸과 마음은 단 하나로 존재하는 '나'를 구성하는 것이지만, 변화에 관한 한 몸의 변화와 함께 마음의 변화입니다. 마음의 변화와 함께 몸의 변화가 아닙니다. 감정은 서로 다른 몸과 마음이 본래 하나라는 사실을 증명하지만, 엄격히 말해서 감정은 '몸의 변화'입니다.

앞에서 잠깐 언급한 바와 같이 '변화'(감정)는 어떤 원인에 의해서 발생하는 결과입니다. 변화(감정)는 원인에 대한 결과이기 때문에, 변화(감정)의 존재는 필연적으로 원인의 존재를 증명합니다. 이것이 첫 번째 논점입니다. 다음으로 변화로서 감정은 몸의 변화입니다. 그렇다면 몸의 변화로서 감정을 '인과의 필연성'으로 이해할 때, 무엇보다도 몸의 본성을 이해하는 것이 매우 중요합니다. 왜냐하면 몸의 변화가 감정이기 때문에 몸의 본성이 인과의 필연성을 따른다면, 당연히 몸의 변화도 인과의 필연성을 따를 것이며, 결과적으로 감정 또한 인과의 필연성에 의한 변화의 결과이기 때문입니다.

감정이 인과의 필연성으로 존재한다면, 감정과학은 당연히 성립합니다. 몸의 변화로 존재하는 감정이 인과의 필연성에 의한 결과라는 사실이 분명하면, 우리는 감정을 믿고 배울 수 있습니다. 인과의 필연성으로 존재하는 것이라면 당연히 인과의 필연성으로 이해할 수 있습니다. 그러나 이 사실이 분명하지 않거나 심지어 감정이 인과의 필연성을 부정하는 우연과 확률이라면, 우리는 감정을 믿을 수 없으며 당연히 감정과학은 성립할 수 없습니다.

감정이 몸의 변화라는 사실에 근거하여 감정과학의 성립 근거는 몸의 본성에 대한 탐구로 전개됩니다. 지금 '나'의 몸은 내가 만든 것이 아니므로 당연히 원인에 의한 결과입니다. 이 원인을 우리는 '엄마아빠'라고 부릅니다. '엄마아빠'는 어떻습니까? 당연히 엄마아빠의 '엄마아빠'에 의한 결과입니다. 이런 식으로 지금 존재하는 내 몸에 나아가 인과의 필연성을 확인하면, 영원무한하게 엄마아빠의 존재를 확인하기 때문에 이에 비례하여 엄마아빠의 존재는 영원무한의 필연성으로 확인됩니다.

이 사실 확인에 근거하여 지금 내 몸은 영원무한의 필연성으로 존재하는 엄마아빠에 의해서 영원무한의 필연성으로 존재하도록 결정되었다는 결론이 필연적으로 나옵니다. 영원무한의 필연성은 자기 존재에 관하여도 영원무한의 필연성이기 때문에 자기 활동에 관하여도 당연히 영원무한의 필연성 안에 있습니다. 이 존재로부터 지금 나의 몸이 존재한다면, 나의 존재 또한 영원무한의 필연성에 의해서 존재하도록 결정됩니다. 그런데 영원무한의 필연성을 이해하는 기초는 지금 나의 몸이기 때문에 영원무한의 필연성으로 존재하는 엄마아빠도 당연히 몸으로 존재합니다.

영원무한의 필연성으로 존재하는 것이 있고, 이 존재는 몸으로 존재합니다. 몸이 있다는 것은 마음도 있다는 것이므로 영원무한의 필연성은 몸과 마음으로 존재합니다. 이것을 스피노자는 단 하나의 실체로서 '신', 그리고 신을 구성하는 서로 다른 '속성'으로 정의합니다. 그렇기 때문에 신의 몸도 영원무한의 필연성으로 존재하며, 당연히 신의 마음도 영원무한의 필연성으로 존재합니다. 이 존재로부터 지금 나의 몸과 마음이 존재하기 때문에 나의 몸과 마음도 영원무한의 필연성으로 존재하며 활동합니다.

내 몸의 존재와 활동에 관하여 그에 고유한 본성이 영원무한의 필연성이라면, 몸의 변화로서 감정도 당연히 영원무한의 필연성으로 존재합니다. 이 주제는 보다 적극적으로 이해할 수 있습니다. 영원무한의 필연성으로 존재하는 신이 몸과 마음으로 존재한다는 사실로부터 신의 존재가 사실상 감정입니다. 이 사실로부터 지금 내가 느끼는 감정도 당연히 신의 감정에서 유래합니다. 그런데 신의 감정은 영원무한의 필연성으로 존재하기 때문에 이 감정에서 유래하는 지금 나의 감정도 영원무한의 필연성으로 존재합니다. 마침내 감정과학의 성립 근거가 분명히 드러났습니다.

그러므로 신의 존재와 본성을 영원무한의 필연성으로 인식하며, 이 존재를 구성하는 속성으로서 몸과 마음을 영원무한의 필연성으로 인식하는 스피노자의 『윤리학』은 당연히 감정에 대한 타당한 인식을 추구하는 감정과학입니다. '1부 신에 관하여'는 감정과학의 성립근거로서 감정에 고유한 본성의 필연성으로서 단 하나의 영원무한을 다룹니다. 신은 감정으로 존재한다는 사실, 그렇기 때문에 감정에 대한 이해가 신에 대한 이해라는 사실을 증명하는 것이 스피노자의 윤리학입니다. 스피노자 『윤리학』 『5부』에 대한 감정과학의 연구가 '신을 향한 지적인 사랑'인 이유입니다. 여기에서 우리는 감정이 그 자체로 최고의 완전성 안에서 최고의 아름다움으로 존재한다는 사실을 이해합니다.

서문 3: '참고문헌'에 관하여

스피노자의 『윤리학』은 '기하학적 질서' 위에 존재합니다. 기하학적 질서란, 생각하는 마음이 자기 안에서 자기 스스로 생각함으로써 영원의 완전성과 능동성으로 자명(自明)한 이해를 형성하고, 다시 이 이해에 근거하여 영원의 완전성과 능동성으로 자명한 이해를 새롭게 형성해 나아가는 것입니다. 여기에서 마음은 절대적으로 자기 아닌 다른 것에 의존해서는 안 됩니다. 이러한 기하학적 질서의 필연성이 스피노자의 『윤리학』에 고유한 '장르'(genre)입니다. 그렇기 때문에 스피노자의 『윤리학』을 연구하는 사람은 '장르분석'에 의하여 기하학적 질서를 자신의 연구방법으로 채택해야 합니다. 사실상 이 방법이 연구의 완전성을 확보하는 가장 확실한 방법입니다. 따라서 저자에게 '참고문헌'을 요구하는 독자가 있다면, 그 자신 스스로 스피노자의 『윤리학』에 고유한 장르를 분명히 이해하지 못한 것입니다.

자기 스스로 자기 감정을 이해하는 자기 마음의 정신력이 스피노자의 연구방법입니다. 스피노자의 『윤리학』에서 참고문헌은 자기의 감정이며, 자기의 감정에 대한 자기이해가 참고문헌에 대한 이해입니다. 이 이해로 감정에 대한 타당한 인식을 확인하는 것이 스피노자의 감정과학입니다.

끝으로 본 연구총서가 참고한 번역서를 소개합니다.

(1) *Ethics*, trans. Edwin Curley, Penguin Books, 1996.

(2) *Ethics*, trans. Samuel Shirley, Hackett, 1992.

(3) 에티카, 강영계 역, 서광사, 2007.

스피노자 에티카 5부 서문

제5부 서문 1: 이성의 힘

마침내 나는 윤리학의 나머지 부분으로 넘어가는데, 그것은 우리를 자유로 이끄는 방법과 관련된다. 나는 이곳에서 '이성의 힘'에 대해 다룰 것이다. 어떻게 이성이 감정을 통제할 수 있는지를 보여주며, 정신적 자유나 행복의 본질이 무엇인지를 보여줄 것이다. 그 결과 우리는 현명한 사람이 무지한 사람보다 얼마나 더 강력한지를 알 수 있을 것이다. 여기에서 나는 이해력을 완성시키기 위한 방법이나 수단을 고려하지 않으며 몸이 자신의 기능을 적절하게 수행할 수 있도록 인도하는 기술도 마찬가지이다. 후자의 질문은 의학의 영역에 속하며, 전자의 질문은 논리학의 영역에 속한다. 따라서 여기에서 나는 다시 한 번 강조하겠다. 나는 오로지 마음의 힘 또는 이성의 힘에 대해 다루고, 주로 감정을 통제하고 완화하기 위한 그것의 지배 범위와 본질을 보여줄 것이다. 왜냐하면 우리가 감정을 절대적으로 통제하지 않는다는 사실은 이미 제시했기 때문이다.

분석

「서문 1」에 대한 구체적인 분석 이전에 이 책이 다루는 서문에 대해서 간단히 설명합니다. 스피노자는 윤리학의 『5부』를 「서문」

으로 시작하는데, 본서는 이것을 네 부분으로 나누고 그 가운데 핵심이 되는 부분만을 발췌하여 분석하겠습니다.

「서문 1」에서 가장 중요한 것은 '이성의 힘'입니다. '의지력' 또는 '선의지'가 절대적으로 아니라는 것을 우리가 분명히 이해해야 합니다. 우리가 이 논점을 분명히 하면, 스피노자의 '이성'이 무엇인지 확인하는 것은 이번에 우리가 공부하는 『5부』를 이해하는 핵심입니다. 스피노자는 윤리학 『제2부』 「정리 40의 주석2」에서 '이성'을 다음과 같이 정의합니다.

3. 마지막으로 우리들이 사물의 성질에 대하여 공통 관념과 타당한 관념을 소유하는 것으로부터, 그리고 나는 이것을 이성 그리고 제2종의 인식이라고 부를 것이다.

_스피노자 『에티카』, 제2부 정리 40, 주석2.
/강영계 번역(p.128.).

사물의 성질에 대한 공통 관념 내지는 타당한 관념을 소유하는 것이 '이성'입니다. 이 관념을 스피노자는 '필연성'을 향한 명백한 인식으로 확인합니다.

제2부 정리 44: 믿고 배우는 직관과학

몸을 우연성으로 간주하는 것은 이성의 본성이 아니다. 이성은 모든 몸을 필연성으로 이해한다.

몸을 '필연성'으로 이해하는 것이 마음의 이성이며, 이 이해가 몸에 대한 타당한 관념입니다. 이때 마음은 무엇일까요? 몸의 마음입니다. 이점이 매우 중요합니다. 몸을 떠나서 마음이 별도로 존재하지 않습니다. 무엇보다도 몸은 '나'의 몸이며, 마음은 '나'의 마음입니다. 우리가 이 사실을 분명하게 인식하면, 마음이 자기 몸을 필연성으로 인식한다는 것은 엄밀히 말해서 나의 마음이 나의 몸을 필연성으로 인식하는 것입니다. 이것이 마음의 이성이며 몸에 대한 타당한 관념입니다. 이제 다음과 같은 질문에 대해서 우리는 쉽게 답을 할 수 있습니다.

마음이 자기 몸을 필연성으로 인식한다는 것은 무엇일까요?

이 물음에 대한 답을 제시하기 위하여 감정과학은 몸을 '생김'과 '놀이'로 나누어 말하며, 생각의 시작을 '몸-생김'으로 시작합니다. 우리 자신이 자기 몸에 나아가 그것의 생김을 필연성으로 인식한다는 것은 실질적으로 엄마아빠의 존재를 인식하는 것입니다. 엄마의 몸과 아빠의 몸이 사랑한 결과 지금의 내 몸이 생겨납니다. 여기에는 그 어떠한 우연성이 없습니다. 오직 영원으로부터 영원에 이르는 영원의 필연성만이 존재합니다. 이 결론은 지금 나의 마음이 지금 나의 몸을 자명하게 이해한 결과입니다. 이 이해는 엄마아빠를 단 한 번도 본적 없는 사람에도 명백합니다. 자기 몸에 나아가 생김의 진실을 스스로 생각해 보면 당연하게 이해하는 진리입니다.

지금 나의 몸에 나아가 몸의 생김을 영원의 필연성으로 인식하는 것이 지금 나의 마음에 고유한 이성입니다. 본래부터 지금 내 몸의 생김이 영원의 필연성을 본성으로 갖는다면, 몸의 놀이도 영원의 필연성을 본성으로 갖습니다. 이 사실은 기하학적 질서의 필연성입니다. 삼각형의 본성을 '세 개의 내각 그리고 그 총합은 180도'로 우리가 이해하는 한에서 이 본성을 어기며 생겨나는 삼각형은 존재하지 않거니와 우리는 이 본성을 어기며 삼각형을 그리는 놀이를 할 수 없습니다. 같은 이치로 우리 몸에 고유한 생김의 진실을 '엄마의 몸과 아빠의 몸이 사랑함으로써 지금 내 몸이 생겨났다.'라고 우리가 이해하는 한에서, 영원의 필연성으로 결정된 이 사랑을 어기며 생겨나는 몸은 절대적으로 존재하지 않습니다. 동시에 이 사랑을 어기며 놀이하는 몸도 절대적으로 없습니다.

이 결론을 두고 많은 사람들이 반문합니다. 세상을 보면 사랑을 어기는 일(몸의 놀이)이 가득한데, 감정과학의 주장과 정면으로 배치되는 일이 왜 발생하는 것이냐며 묻습니다. 화가 나서 사람을 죽이기도 하며, 화가 나서 자살을 한다는 것입니다. 지금까지 논의한 바와 같이 몸의 놀이는 사실상 감정인데, 감정으로 인하여 온갖 비극이 발생하는 것이 아니냐며 심지어 비난합니다. 감정의 본성이 절대적으로 사랑이라는 것을 인정할 수 없다고 주장합니다. 그러나 이 주장은 몸-놀이의 현상을 종합하고 해석한 것일 뿐입니다. 감정과학의 주장은 몸-생김에 고유한 본성을 영원의 필연성으로 인식함으로써 그로부터 필연적으로 연역되는(기하학적 질서의 필연성) 몸-놀이에 고유한 본성을 영원의 필연성에 기초합니다.

우리는 반드시 이 둘 사이에 놓인 근본적인 차이점을 구분할 수 있어야 합니다. 이 구별이 왜 중요할까요? 우리가 몸-놀이, 즉 생겨난 몸이 자신을 즐기는 놀이로서 몸의 순간 변화인 '감정'에 고유한 본성의 필연성을 분명하게 이해하지 못하면, 우리는 뜻밖에 감정을 영원의 필연성이 아닌 감각적 현상으로 바라보며 그에 대한 해석에 급급하게 됩니다. 영원의 필연성으로 존재하는 것이 감정이며, 그렇기 때문에 감정은 무한한 방식으로 무한하게 신의 존재를 증명하는 순수지선입니다. 신의 존재가 곧 무한한 감정입니다. 그런데 이 사실을 명백하게 이해하지 못하면, 감정을 그 자체의 본성이 아닌 감각적 현상으로 바라보며 저마다 서로 다른 경험으로 감정을 해석하거나 사실 자체 보다는 그것의 가치를 평가합니다. 그 결과 순수지선으로 존재하는 감정을 선악(善惡)으로 판단하며 강요하기 시작합니다.

감정의 본성이 영원의 필연성으로서 순수지선이기 때문에 우리는 우리 자신의 감정을 비롯해서 우리가 교차하는 무한한 감정을 믿고 배울 수 있습니다. 무한히 새로운 감정에 나아가 그에 고유한 본성으로서 영원의 필연성을 배워서 이해하면, 그 즉시 무한한 감정은 단 하나의 예외 없이 순수지선의 감정 또는 신의 존재를 증명하는 성스러운 감정으로 확인됩니다. 그러나 이 배움을 게을리 하거나 연마하지 않으면, 그 즉시 감정은 선악으로 해석됩니다. 이로부터 우리는 더 이상 감정을 배우지 않습니다. 그 대신 자신만의 감정 해석을 주장하며 악으로 판단한 감정을 없애기에 몰입하기 시작합니다. 그 결과가 무엇일까요? 서로가 서로의 감정을 부정하기에 급급한 전쟁의 비극이 발생합니다.

이상의 논의에 기초하여 우리는 스피노자의 이성이 무엇인지 쉽게 이해할 수 있습니다. '몸-생김'을 영원의 필연성으로 이해함으로써 '몸-놀이'를 영원의 필연성으로 이해하는 것이 이성입니다. 이것의 '힘'은 무엇일까요? 몸-놀이, 즉 감정에 대한 확고부동의 '믿음'입니다. 왜냐하면 우리가 몸-생김에 고유한 본성으로서 영원의 필연성을 명백하게 이해하는 한에서 우리는 몸-놀이인 감정의 본성을 영원의 필연성으로 이해하며 믿기 때문입니다. 이 믿음이 분명할 때, 우리는 더 이상 감정을 감각적 현상으로 해석하지 않거니와 감정에 대한 타당한 인식을 결여함으로써 발생하는 전쟁의 비극을 감정의 진실로 이해하지 않습니다. 이 믿음이 이성의 힘입니다.

우리가 이성의 힘을 감정 그 자체의 본성에 대한 이해에서 나오는 감정에 대한 확고부동한 믿음으로 이해하면, 지금 우리가 분석하고 있는 「서문 1」의 다음과 같은 말을 쉽게 이해할 수 있습니다.

> 어떻게 이성이 감정을 통제할 수 있는지를 보여주며, 정신적 자유나 행복의 본질이 무엇인지를 보여줄 것이다.

이성으로 감정을 통제한다는 것은 의지력으로 감정을 조절하는 것이 절대 아닙니다. 이성은 감정에 고유한 본성을 영원의 필연성으로 인식함으로써 그것의 순수지선을 믿는 것이며, 이 믿음에 근거하여 무한히 새로운 감정에 나아가 이 믿음을 다시 확인하는 것입니다. 즉, 감정을 영원무한의 필연성으로 이해하며 믿는 것이 스피노자가 이해하는 감정에 대한 통제입니다. 이것이 정신의 자유와 행복의 본질인 이유는 다음의 정의와 정리를 통해서 쉽게 이해할 수 있습니다.

> **제1부 정의 7: 감정의 자유**
>
> 어떤 것이 자유롭다고 말할 수 있는 것은 그것이 오직 자기 본성의 필연성만을 따라서 존재하고 행동하도록 결정되기 때문이다.

'자유'에 대한 스피노자의 정의는 본성의 필연성을 이해하며 살아가는 것입니다. 여기에서 본성의 필연성은 영원무한의 필연성 그 자체인 '신'입니다.

제1부 정의 6: 신으로 존재하는 감정

《신》에 관하여, 나는 절대적으로 무한한 존재, 즉 무한한 속성으로 구성된 실체이며 그 각각의 속성은 영원하고 무한한 본질을 표현한다고 이해한다.

제1부 정리 15: 감정의 영원한 필연성

모든 것은 신 안에 있다. 신 없이는 어떤 것도 존재할 수 없으며 인식될 수도 없다.

제1부 정리 16: 감정의 영원한 필연성

신의 본성의 필연성으로부터 무한한 것이 무한한 방식으로 생겨난다. 즉, 무한한 지성의 범위 안에서 모든 것들이 무한한 방식으로 무한하게 생겨난다.

몸-생김의 필연성이 신이며, 이 사실로부터 몸-놀이의 필연성도 당연히 신입니다. 그렇기 때문에 감정을 그에 고유한 본성의 필연성인 신으로 이해하는 것은 감정에 대한 타당한 인식이라는 결론이 나옵니다.

제2부 정리 32: 감정의 자기이해

모든 개념은 신에 관련되는 한 참이다.

정리 34: 감정의 진실

우리 안에서 절대적이거나 타당하며 완전한 모든 개념은 참이다.

이성이 감정을 통제한다는 것은 무한한 방식으로 무한한 감정이 절대적으로 자기 본성의 필연성 또는 신에 의해서 존재하도록 결정되었다는 사실을 이해하는 것입니다. 이 이해는 실질적으로 감정의 본성을 인식하며 오직 이 인식으로 감정대로 살아가는 것이므로 절대적인 자유입니다. 절대적인 자유는 신의 활동능력이므로 우리가 감정에 나아가 이 자유를 확인한 이상, 우리는 신의 활동능력으로 존재하며 살아간다는 결론이 필연적으로 나옵니다. 이 이상 행복은 없기 때문에 감정을 이해하는 이성의 힘이 곧 절대적인 신적 자유이며 행복입니다.

끝으로 스피노자의 다음과 같은 말에 대해서 설명합니다.

> 나는 오로지 마음의 힘 또는 이성의 힘에 대해 다루고, 주로 감정을 통제하고 완화하기 위한 그것의 지배 범위와 본질을 보여줄 것이다. 왜냐하면 우리가 감정을 절대적으로 통제하지 않는다는 사실은 이미 제시했기 때문이다.

두 부분으로 나누어 설명하겠습니다.

(1) 나는 오로지 마음의 힘 또는 이성의 힘에 대해 다루고, 주로 감정을 통제하고 완화하기 위한 그것의 지배 범위와 본질을 보여줄 것이다.

: 이성의 힘은 무한한 방식으로 무한한 감정이 단 하나의 예외 없이 영원무한의 필연성을 자기 본성으로 갖는다는 사실을 명백하게 이해합니다. 그렇기 때문에 이성은 영원으로부터 영원에 이르는 영원의 필연성으로 무한한 감정을 타당하게 이해하는 능력을 본래부터 가지고 있습니다. 이러한 맥락에서 이성의 힘을 부정하거나 파괴하는 감정은 절대적으로 존재하지 않습니다. 감정으로 존재하는 우리는 본래부터 무한한 방식으로 무한한 감정을 타당하게 이해할 수 있는 능력을 본래부터 가지고 있습니다. 따라서 이성의 힘은 실질적으로 자기이해의 완전성을 형성하는 감정 자신의 본래 능력입니다.

(2) 왜냐하면 우리가 감정을 절대적으로 통제하지 않는다는 사실은 이미 제시했기 때문이다.

: 이 부분은 마치 앞의 논의와 모순되는 것처럼 보입니다. 그러나 절대 그렇지 않습니다. 우리의 현실은 지금 우리 자신의 몸으로 살아가는 것입니다. 지금 '나' 자신의 몸(감정)은 무한한 방식으로 무한한 몸(감정)과 교차합니다. 그렇기 때문에 다음의 정리는 필연적입니다.

제4부 정리 2: 감정의 수동과 능동

우리는 자연의 한 부분인 한에서 수동적이다. 왜냐하면 자연의 모든 것은 자신과 다른 것에 의해서 파악되는 자연의 일부이기 때문이다.

제4부 정리 3: 감정의 유한성

인간이 자기 존재를 지속하는 힘은 제한되어 있으며 외부 원인의 힘에 의하여 무한히 압도된다.

제4부 정리 4: 묻고 배우는 감정의 이성

인간이 자연의 일부로 존재하지 않는다는 것은 불가능하며, 그렇기 때문에 자기 몸의 변화를 오직 자기 몸의 본성으로 이해함으로써 그 자신이 타당한 원인으로 존재하는 것도 불가능하다.

우리의 존재가 불완전하기 때문에 "우리가 감정을 절대적으로 통제하지 않는다는 것"이 아닙니다. 우리 몸은 실체(신)의 본성 안에서 생겨난 것이기 때문에 실체(신)의 본성을 영원의 필연성으로 가지며, 따라서 우리의 마음도 실체(신)의 본성으로 몸의 생김과 놀이를 이해합니다. 이와 동시에 우리는 실체(신)에 의해서 생겨난 지금 현실적인 몸, 즉 '양태'로 생겨나고 살아갑니다. 여기에서 보면, 우리는 유한하며 그만큼 수동적입니다. 왜냐하면 신의 무한 양태 가운데 하나가 지금 우리 자신의 몸이기 때문입니다. 그러나 그렇다고 해서 우리가 수동적으로 살아가도록 결정된 것은 절대 아닙니다. 왜냐하면 신의 본성 안에서 몸의 생김과 놀이를 이해하는 이성의 힘은 우리의 마음에 고유한 본성 또는 능력이기 때문입니다. 우리가 감정을 영원의 필연성으로 인식하는 감정과학을 연마해야 하는 이유가 여기에 있습니다.

참고로 (1)의 논점은 성리학(性理學)의 존양(存養) 또는 심재(心在)이며, (2)는 성찰(省察) 또는 구방심(求放心)입니다. 자세한 논의는 곧 출판될 문화교차연구소 연구총서인 '성리학의 감정과학'에서 하겠습니다. 이 총서 시리즈는 성리학의 목표가 감정에 대한 타당한 인식에 있다는 것을 밝힙니다.

제5부 서문 2: 데카르트의 오류

스토아 학파들은 감정이 우리의 의지에 절대적으로 의존하며 우리가 그것들을 절대적으로 통제할 수 있다고 생각했다. 그러나 이 철학자들은 자신들이 주장한 원리가 아닌 경험의 항변으로 인해 감정을 통제하거나 조정하기 위해서는 약간의 연습과 노력이 아닌 그 이상의 의지적 노력이 필요하다고 고백하지 않을 수 없었다. 또한 누군가는 (내가 올바르게 기억한다면) 두 마리의 개, 즉 집에서 기르는 개와 사냥을 위한 개의 사례를 가지고 이 결론을 설명하려 했다. 오랜 훈련을 통해 집개가 사냥을 하는 데 익숙해지도록 만들 수 있으며, 사냥개의 경우 토끼를 쫓지 않도록 만들 수 있었다는 것이다. 데카르트도 이 의견에 상당히 동의했다. 그는 영혼이나 마음이 특히 뇌의 특정 부분, 즉 송과선(松科腺)이라 불리는 부분과 특별하게 결합되어 있다고 주장했다. 이를 통해 마음은 몸에서 시작되는 모든 움직임과 외부 물체를 느낄 수 있으며, 마음은 간단한 의지 행위를 함으로써 다양한 방식으로 이를 움직일 수 있다고 말했다.

분석

「서문 2」에 대한 분석은 감정에 대한 스피노자의 정의로 시작해야 합니다.

제3부 정의 3: 감정의 기본 정의

《감정》에 관하여, 나는 '몸의 변화'로 이해한다. 마음은 그와 동시에 변화에 대한 '개념'을 형성한다. 즉, 몸의 변화와 동시에 마음은 그에 대한 개념을 형성하며, 이 개념과 함께 몸은 자신의 활동 능력을 증대시키게 되거나 감소시키게 되며, 또는 자신의 활동 능력을 보다 더 크게 할 수 있게 되거나 억제될 수 있게 된다.

스피노자에 의하면 감정은 '몸의 순간 변화'입니다. 엄밀히 말해서 마음의 사건이 아닙니다. 그렇다면 마음은 무엇일가요? 마음은 몸의 순간 변화와 동시에 그에 대한 관념을 형성합니다. 그래서 사실상 감정은 서로 다른 몸과 마음이 본래 하나라는 사실을 증명합니다. 몸이 순간 변화하면, 그것이 곧 감정입니다. 마음은 그에 대한 관념을 형성하기 때문에, 감정에 대한 마음의 관념 형성이 사실상 감정입니다. 감정을 몸으로 보면 몸의 순간 변화이며, 마음으로 보면 몸의 순간 변화에 대한 관념입니다.

이 지점에서 얼마든지 다음과 같은 질문을 생각할 수 있습니다.

감정을 굳이 몸과 마음으로 나누어 말해야 하는 이유가 무엇인가?

감정은 서로 다른 몸과 마음이 본래 하나라는 사실을 증명한다고 했습니다. 이때 마음이 소중한 이유는 몸의 순간 변화에 대한 관념을 형성함으로써 감정으로 존재하는 마음이 생각하는 자신의 고유 능력에 근거하여 몸의 순간 변화를 감각적 현상이 아닌 그 자체에 고유한 영원의 필연성으로 이해하기 때문입니다. 이 이해가 중요한 이유는 무엇보다도 오직 이 이해만이 감정이 자신을 최고의 완전성으로 올바르게 이해하는 방법이기 때문입니다. 몸-생김 자체가 영원의 필연성을 본성으로 갖기 때문에 생겨난 몸이 놀이할 때 그 모든 순간의 변화는 당연히 영원의 필연성 안에 있습니다. 따라서 감정에 나아가 감정을 몸과 마음으로 나누어 말함과 동시에 마음을 강조하는 이유는 그때 비로소 감정은 자신에 대한 타당한 이해를 정립하기 때문입니다.

이 이해가 앞의 「서문 1」에서 스피노자가 주장한 마음의 힘 또는 마음에 고유한 이성의 힘입니다. 이 이유로 스피노자는 의지력이 아닌 이성의 힘을 강조합니다. 그렇기 때문에 엄격히 말해서 감정에 대한 이성의 힘은 감정의 마음이 몸의 순간 변화에 고유한 본성의 필연성을 이해하며, 그에 기초하여 감정의 순수지선을 믿는 것입니다. 신의 존재가 따로 없습니다. 지금 내가 느끼는 나의 감정 또는 지금 내가 경험하는 자연의 무한한 감정이 신의 완전성과 순수지선을 증명합니다. 이것이 스피노자가 자신의 윤리학을 통해서 주장하는 감정에 대한 조절 및 통제입니다. 여기에는 감정으로 존재하는 마음이 몸의 순간 변화를 지금과 다른 방식으로 변경하거나 심지어 부정하려는 억지스러운 의지가 개입되지 않습니다. 즉, 의지 또는 의지력이 개입되지 않습니다.

이와 관련하여 다음의 정리를 참조해야 합니다.

제1부 정리 29: 성스러운 나의 감정

세상의 모든 것은 우연이 아니라 신의 본성에 고유한 영원무한의 필연성에 의하여 특정한 방식으로 존재하고 작동하도록 결정되어 있다.

제1부 정리 33: 성스러운 나의 감정

신에 의하여 존재하도록 결정된 것은 지금 존재하는 방식 이외 다른 방식으로 존재하도록 결정될 수 없다.

그런데 스토아 학파는 '감정'을 의지의 대상 또는 의지에 의존하는 것이라고 설명합니다. 보다 구체적으로 마음이 감정에 대하여 의지력을 발휘함으로써 얼마든지 통제하거나 지금과는 다른 방식으로 변화시킬 수 있다고 주장합니다. 스토아 학파의 주장에 의하면, 마음은 감정에 고유한 본성의 필연성을 이해하지 않아도 얼마든지 자신의 자유 의지에 입각하여 감정을 어떤 목적으로 통제하거나 변화시킬 수 있다는 것입니다. 이때 결정적으로 필요한 것은 '의지'가 아니라 '의지력'입니다. 마음은 자신의 의지를 관철할 수 있는 의지력을 키움으로써 지금 존재하는 감정을 새로운 감정으로 통제하거나 변화시킬 수 있다는 것입니다. 그러나 이것은 바로 앞에서 제시한 정리 및 아래에 제시하는 정리에 근거하여 잘못된 생각입니다.

제2권 정리 48: 신을 이해하는 마음

마음 안에는 절대적이거나 자유로운 의지가 없다. 대신, 마음은 어떤 원인에 의하여 이것 또는 저것을 원하도록 결정되며, 같은 방식으로 이 원인 또한 또 다른 원인에 의하여 결정된다. 그리고 이러한 방식으로 무한히 이어진다.

한편, 우리는 이 주제를 다른 방식으로 접근하고 이해할 수 있습니다. 마음이 감정을 지금과는 다른 방식으로 존재할 수 있도록 통제하거나 조절할 수 있다고 인정하게 되면, 사실상 이는 마음이 몸을 결정하는 것입니다. 그러나 이것은 터무니없는 것입니다.

제2부 정리 1: 신의 마음

사유는 신의 속성이다. 신은 생각하는 것이다.

제2부 정리 2: 신의 몸

몸은 신의 속성이다. 신은 확장되는 몸이다.

몸과 마음은 엄격히 말해서 신을 구성하는 서로 다른 두 개의 속성입니다. 그러나 만약 마음이 몸을 결정하거나 또는 반대로 몸이 마음을 결정한다고 하면, 이 경우 몸과 마음은 각각 더 이상 자기원인이 아닙니다. 신의 본질이 자기원인 또는 자유라면, 그것을 구성하는 속성 또한 당연히 자기원인 또는 자유입니다. 그런데 신의 어느 한 속성이 다른 속성을 강제할 수 있다고 한다면, 그 즉시 강제되는 다른 속성은 자기원인 또는 자유로 존재할 수 없습니다. 이 경우 신은 몸 없는 마음 또는 마음 없는 몸으로 존재하게 됩니다. 따라서 마음이 몸을 결정하거나 강제할 수 있다고 인정하거나 반대로 마음이 몸을 결정하거나 강제할 수 있다고 인정하는 것은 『제2부』의 「정리 1/ 2」에 근거하여 터무니없는 것입니다.

이 결론은 다음의 정의에 입각하여 보아도 지극히 당연한 것입니다.

제1부 정의 2: 감정의 유한성

우리는 '어떤 것'을 '유한하다.'라고 말할 수 있다. 그것이 자기와 동일한 본성을 가진 또 다른 어떤 것에 의해서 제한될 때, 우리는 그것을 유한한 것이라고 말할 수 있다. 예를 들면, 몸은 유한한 것이라고 우리가 말할 수 있는데, 그 이유는 우리가 얼마든지 지금의 몸 보다 더 큰 몸을 생각할 수 있기 때문이다. 이와 같은 방식으로 우리는 생각의 유한성을 이해할 수 있다. (왜냐하면 우리는 얼마든지 지금의 생각 보다 더 큰 생각을 생각할 수 있기 때문이다.) 그러나 몸은 생각에 의해서 제한되지 않으며, 생각도 또한 몸에 의해서 제한되지 않는다. (그러므로 몸은 생각에 의해서 유한한 것이 되지 않으며, 그 반대도 마찬가지이다.)

몸과 마음은 신의 존재를 구성하는 서로 다른 속성이기 때문에 신의 속성인 몸으로부터 무한한 방식으로 무한한 몸이 변화하여 생겨나며, 그와 동시에 신의 속성인 마음으로부터 무한한 방식으로 무한한 마음이 변화하여 생겨납니다. 그러나 이 둘은 동일한 질서를 갖습니다. 예를 들어서 새의 몸은 새의 마음을 가지며, 물고기의 몸은 물고기의 마음을 갖습니다. 그 반대로 마찬가지입니다. 그렇기 때문에 마음은 몸을 결정할 수 없습니다. 마음이 어떤 의지력을 발휘함으로써 몸을 변화시킨다는 것은 억지입니다. 따라서 마음은 철저히 몸과 함께 변화하며 더 나아가 몸의 순간 변화에 대해서 그에 고유한 본성의 필연성을 이해합니다. 마음은 몸 또는 몸의 순간 변화인 감정을 지금과 다른 방식으로 통제하거나 조절하는 의지나 의지력을 가지고 있지 않습니다.

끝으로 우리가 매우 주의 깊게 살펴봐야 할 것은 데카르트의 오류입니다. 스피노자에 의하면 데카르트는 스토아 학파와 마찬지로 감정을 의지에 종속시키고 있습니다.

> 데카르트도 이 의견에 상당히 동의했다. 그는 영혼이나 마음이 특히 뇌의 특정 부분, 즉 송과선(松科腺)이라 불리는 부분과 특별하게 결합되어 있다고 주장했다. 이를 통해 마음은 몸에서 시작되는 모든 움직임과 외부 물체를 느낄 수 있으며, 마음은 간단한 의지 행위로 다양한 방식으로 이를 움직일 수 있다고 말했다.

데카르트에 의하면 마음은 뇌 조직의 일부인 '송과선'을 통해서 몸의 순간 변화인 감정에 대해서 관념을 형성합니다. 동시에 다른 한편으로 마음은 자신의 의지를 송과선에 보냄으로써 몸의 순간 변화를 결정할 수 있습니다. 그러나 이것은 스피노자가 보기에 터무니없는 것입니다. 아주 간단하게 말해서, 만약 우리가 뇌 안에 있는 송과선을 제거해버리면 어떤 일이 발생하게 되는 것일까요? 몸과 마음은 서로 분리되어 서로 다른 두 개의 실체가 되고 맙니다. 왜냐하면 마음이 존재한다면 그에 고유한 원인으로서 마음이 존재해야 하며 몸이 존재한다면 그에 고유한 원인으로서 몸이 존재해야 합니다. 따라서 송과선을 제거하면 서로 다른 두 개의 실체, 즉 '몸'으로 존재하는 실체와 '마음'으로 존재하는 실체라는 서로 다른 두 개의 실체가 존재하게 된다는 결론에 이르게 됩니다.

이러한 터무니없는 데카르트의 오류를 스피노자는 이미 『제1부』에서 다루었습니다.

제1부 정리 12: '몸=마음'의 감정

실체의 어떤 속성에 의하여 실체가 분할될 수 있다고 한다면, 그 어떤 속성도 참답게 이해될 수 없다.

제1부 정리 13: 단 하나의 영원무한

절대적으로 무한한 실체는 분할될 수 없다.

제1부 정리 20: 감정의 영원무한

신의 존재와 그 자신의 본질은 하나이며 본래 같은 것이다.

신은 서로 다른 두 개의 속성인 몸과 마음으로 구성되어 있지만, 이 둘은 절대적으로 분할될 수 없습니다. 그렇기 때문에 뇌 조직 가운데 하나인 송과선으로 몸과 마음의 관계 또는 감정에 대한 마음의 능력으로서 의지력을 설명하면 안 됩니다. 몸과 마음은 서로를 결정하거나 강제하는 관계가 아니라 단 하나의 실체를 구성하는 서로 다른 두 개의 속성입니다. 이 이유로 서로 다른 두 개의 속성은 동일한 질서를 따라서 변화합니다.

제2부 정리 20: 감정의 자기이해

인간 마음의 개념이나 인식은 몸의 개념이나 인식과 마찬가지로 신 안에 존재하며, 인간 마음의 개념이나 인식이 신의 속성인 마음으로부터 연역되는 것과 같이 몸의 개념이나 인식도 신의 속성인 몸으로부터 연역된다. 이처럼 몸과 마음은 신의 속성으로부터 유래하며, 그러한 한에서 이 둘은 동일한 질서(신의 본성의 필연성) 안에 존재하며 그것으로부터 생성된다.

이 변화에 고유한 본성을 영원의 필연성으로 이해하는 것이 마음에 고유한 이성의 힘입니다. 그러므로 '의지' 또는 '의지력'으로 감정을 통제하거나 조절할 수 있다는 데카르트의 주장은 감정에 대한 타당하지 못한 인식 또는 오류일 뿐입니다.

제2부 서문 3: 몸과 마음

데카르트는 다음과 같이 결론을 내린다. 적절한 지도를 통해서 인도되는 한에서 그 어떤 영혼도 자신의 감정에 대해서 절대적인 힘을 획득하지 못할 정도로 약하지 않다고. 왜냐하면 그는 다음과 같이 감정을 정의하기 때문이다. 감정은 "영혼의 지각, 또는 감정, 또는 동요로서 이들은 영혼의 영역에 속하며, (표현을 주목하기 바란다.) 영혼의 움직임을 통해 생겨나고 보존되며 강화된다." (영혼의 감정에 관하여, I부 27절 참조.). 하지만, 우리는 뇌의 송과선(松科腺)을 통해서 일어나는 정신의 운동을 의지와 결합할 수 있기 때문에, 의지의 결정은 완전히 우리 자신의 능력에 의해 결정된다. 그러므로 우리가 행동의 방향에 관하여 확실하고 견고한 결정을 내릴 경우, 그리고 우리가 획득하려는 감정의 운동을 그 결정과 연결시킬 경우, 우리는 감정을 절대적으로 통제할 수 있게 된다. 이것이 훌륭한 철학자의 학설이다. (데카르트가 한 말에 근거하여 내가 추론하여 이해하는 한에서) 이 말이 조금만 덜 예리했다면 나는 그것을 위대한 사람에게서 나온 것으로는 거의 믿기 어려웠을 것이다. … 나는 그가 마음과 몸의 결합을 어떻게 이해하고 있는지 묻고 싶다.

분석

이 서문에서 중요한 부분은 "나는 그가 마음과 몸의 결합을 어떻게 이해하고 있는지 묻고 싶다."라는 부분입니다. 마음과 몸은 단 하나로 존재하는 실체인 '신'의 속성을 구성하는 것이며, 이 사실에 근거하여 절대적으로 어느 한 속성이 다른 한 속성을 결정하거나 강제할 수 없습니다. 그렇기 때문에 신의 속성인 마음에 의해서 생겨나는 양태로서 무한한 마음과 신의 속성인 몸에 의해서 생겨나는 양태로서 무한한 몸은 절대적으로 서로를 결정하거나 강제할 수 없습니다. 그런데 뜻밖에 데카르트는 마음이 의지력을 발휘함으로써 몸의 순간 변화인 감정을 조절하거나 통제할 수 있다는 주장을 펼치고 있습니다. 이 때문에 스피노자는 데카르트가 과연 몸과 마음에 대해서 올바른 이해를 형성하고 있는지 의심하고 있습니다.

스피노자는 당대 최고의 데카르트 전문가였습니다. 동시에 스피노자는 데카르트의 『방법서설』 덕분에 인간에 대한 올바른 이해를 확립할 수 있었으며, 그 결과가 지금 우리가 공부하고 있는 『에티카』(윤리학)입니다. 그렇기 때문에 스피노자가 데카르트를 비판했다고 해서 그가 『방법서설』에 있는 데카르트의 학문의 방법을 부정했다고 생각해서는 안 됩니다. 오히려 스피노자 윤리학의 〖제1부〗에 있는 정의들은 실질적으로 데카르트의 『방법서설』에 있는 핵심 논점들을 정리한 것입니다. 윤리학 〖제1부〗의 「정의 1」은 데카르트의 『방법서설』의 4부에 기초하고 있습니다.

제1부 정의 1. 자기원인으로 존재하는 감정

《자기원인》에 관하여, 나는 '자기 안에 자기의 존재를 본질로 가지고 있는 것' 또는 '자기의 생각 안에서 지금 자신이 존재하고 있다는 사실을 자기 스스로 명명백백하게 이해하는 것'이라고 이해한다.

자기원인의 핵심은 자기 스스로 생각함으로써 자기 존재의 진실을 자기 스스로 명석판명하게 이해한다는 것입니다. 자기 스스로 자기가 존재하고 있다고 생각한다면, 이 생각은 자명(自明)한 것이기 때문에 믿을 수 있으며, 따라서 지금 자신이 존재하고 있다는 사실은 영원불변의 필연성이라는 것입니다. 데카르트는 다음과 같이 말합니다.

'나는 무엇인가'를 주의깊게 검토하여. 다음과 같은 점을 확인했다. 어떤 신체도 내가 갖고 있지 않다는 걸 가상할 수가 있었고, 또한 내가 그 속에 존재하는 어떤 세계나 장소도 없다고 가상할 수가 있으나, 그렇다고 해서 내가 전혀 존재하지 않는다고 가상할 수 없다는 것을. 오히려 내가 다른 것들의 진리성을 의심하려는 생각 자체가 극히 명증적이고, 극히 확실하게 내가 존재한다는 것에 귀결된다. 반대로 만약 내가 '생각하기'를 그만둔다고 한다면 가령 이전에 상상했던 모든 다른 것들이 참[眞]이었다고 해도 내가 존재했다고 믿을만한 그 어떤 이유도 없어진다.

_데카르트 『방법서설』(범우사), 제4부.
/김진욱 번역(p.60~62).

스피노자가 데카르트의 생각을 자기원인으로 정의하고 있다는 것을 알 수 있습니다. 다음으로 「정의 3/ 6」의 핵심 주제인 '신'에 대한 스피노자의 정의를 살펴보겠습니다.

제1부 정의 3: 실체로 존재하는 감정

《실체(實體)》에 관하여, 나는 '자기 안에 존재하며 자기 자신을 통하여 자신의 존재를 이해하는 것'이라고 이해한다. 즉, 실체는 자기 존재의 관념 형성에 관하여 자기 아닌 다른 것을 요구하지 않는다.

제1부 정의 6: 신으로 존재하는 감정

《신》에 관하여, 나는 절대적으로 무한한 존재, 즉 무한한 속성으로 구성된 실체이며 그 각각의 속성은 영원하고 무한한 본질을 표현한다고 이해한다.

'신'은 '실체'입니다. 자기 스스로 자기 존재에 대한 관념을 형성하며, 그에 기초하여 자기 존재를 영원무한의 필연성으로 확인하는 것이 신입니다. 이 정의는 아래에 인용된 데카르트의 『방법서설』에 기초합니다.

'생각하기'를 나는 도대체 어디에서 배웠는가를 탐구하려고 했다. 그것은 현실적으로 나보다 완전한 어떤 본성(本性)으로부터 배웠다는 것을 명증적(明證的)으로 알게 되었다. … <u>그 본성은 더구나 내가 생각할 수 있는 모든 완전성을 그 자체 안에 갖추고 있다. 즉 한 마디로 말해 신(神)이라는 본성</u>이다.

_데카르트 『방법서설』(범우사), 제4부.
/김진욱 번역(p.62~64).

데카르트는 자기 사유의 자명함에 근거하여 신의 존재를 확인합니다. 감각적 현상 및 그에 대한 해석의 결과로 신의 존재를 증명하는 것이 아닙니다. 자신의 사유를 통해서 자기 존재의 진실을 이해하는 것과 같은 방식으로 신의 존재를 이해합니다. 이러한 신의 존재 증명을 스피노자는 실체에 대한 정의에 기초하여 신의 본성을 정의합니다. 다음으로 「정의 5」가 다루는 실체(신)의 변용으로서 양태에 대해서 살펴보겠습니다.

제1부 정의 5: 감정의 무한 양태

《양태(樣態)》에 관하여, 나는 실체(實體)의 '변화' 또는 양태 자신이 아닌 다른 것 안에 존재하며 다른 것을 통해서 존재하는 것으로 이해한다.

실체의 변용이 곧 양태입니다. 이 진실을 데카르트는 다음과 같이 확인합니다.

이에 덧붙여, 나는 다음과 같이 생각했다. 나는 자신이 갖고 있지 않는 몇 가지의 완전성을 인식하고 있으므로 나는 현존하는 유일한 존재가 아니라(내가 여기서 자유로이 스콜라 철학의 용어를 사용하는 걸 양해해주기 바란다.) 다른 더 완전한 존재가가 반드시 있어야 하며, 나는 그것에 의존하여 내가 갖고 있는 모든 것은 그것으로부터 얻었을 것이라고.

_데카르트 『방법서설』(범우사), 제4부.
/김진욱 번역(p.62~64).

여기에서 중요한 것은 "내가 갖고 있는 모든 것은 그것으로부터 얻었을 것"입니다. 스피노자는 이 부분에 근거하여 실체의 존재 및 그것으로부터 필연적으로 생겨나 존재하는 양태를 설명합니다. 양태는 실체의 속성, 즉 신의 속성으로부터 생겨납니다.

이상으로 스피노자와 데카르트의 긴밀한 관계를 확인할 수 있습니다. 스피노자는 데카르트라는 거인의 어깨 위에 서서 그 거인이 보지 못한 것을 봤습니다. '자기원인-신(실체)-양태'에 이르는 논리적 구조를 명확하게 정리한 데카르트가 어디에서 실수하는 것일까요? '몸'에 대해서 실수를 합니다. 자기 사유를 통해서 자명하게 사유로서 자기 존재 및 그것의 유일한 기원으로서 신의 존재를 확인한 데카르트가 뜻밖에 몸의 존재에 대해서 '자기 사유의 자명(自明)'으로 이해하지 못합니다. 내가 생각하고 있다는 사실, 그리고 생각으로서 나의 존재를 자명하게 확인함으로써 그것의 기원으로 존재하는 신의 생각을 명백하게 이했다면, 자기 몸에 대해서도 같은 방식으로 이해해야 합니다. 자기에게 몸이 존재한다는 사실, 그리고 그것의 기원으로 존재하는 신의 몸을 명백하게 이해해야 합니다.

그러나 여기에서 치명적인 실수를 데카르트가 범하고 맙니다.

> 우리는 뇌의 송과선(松科腺)을 통해서 일어나는 정신의 운동을 의지와 결합할 수 있기 때문에, 의지의 결정은 완전히 우리 자신의 능력에 의해 결정된다. 그러므로 우리가 행동의 방향에 관하여 확실하고 견고한 결정을 내릴 경우, 그리고 우리가 획득하려는 감정의 운동을 그 결정과 연결시킬 경우, 우리는 감정을 절대적으로 통제할 수 있게 된다.

몸과 마음의 관계를 위와 같이 이해하면, 몸의 존재 및 그것의 기원에 대해서 설명할 수 없게 됩니다. 신의 존재가 오직 마음에만 국한된다고 하면, 신의 마음으로부터 오직 무한한 마음이 양태로 생성됩니다. 마음이 몸을 생겨나게 할 수는 없습니다. 그런데 마음과 별개로 몸이 존재하며 몸이 느끼는 감정이 존재합니다. 이때 감정에 대해서 마음의 절대적인 통제 권한을 인정한다고 하여도, 문제는 몸 또는 감정에 관하여 그것의 존재를 결정하는 원인 또는 실체에 대해서 설명할 수 없습니다.

이 문제를 바로잡는 것이 스피노자의 윤리학 『제2부』에 있는 정리 1과 2입니다.

제2부 정리 1: 신의 마음

사유는 신의 속성이다. 신은 생각하는 것이다.

제2부 정리 2: 신의 몸

몸은 신의 속성이다. 신은 확장되는 몸이다.

스피노자는 데카르트의 오류를 매우 간단하게 해결합니다. 단 하나의 실체로 존재하는 신은 몸과 마음이라는 서로 다른 두 개의 속성으로 존재한다는 것입니다. 신의 몸으로서 무한한 몸이 무한한 방식으로 생겨나며 마음도 같은 방식이라는 것입니다. 이때 중요한 것은 마음입니다. 마음의 기능은 생각하는 것이므로 마음은 자기 사유의 자명함에 입각하여 신의 존재에 고유한 본성 및 신의 속성으로부터 생겨나는 무한 양태 모두를 신적 본성의 필연성 안에서 이해하는 것입니다. 그 결과 무한 양태의 완전성과 아름다움 및 그것의 순수지선을 이해하는 것이 마음의 핵심입니다.

제1부 정리 29: 성스러운 나의 감정

세상의 모든 것은 우연이 아니라 신의 본성에 고유한 영원무한의 필연성에 의하여 특정한 방식으로 존재하고 작동하도록 결정되어 있다.

제1부 정리 30: 감정의 자기이해

지성(intellect)은 유한한 것이든 무한한 것이든 근본적으로 신의 속성과 그것의 변화로서 양태를 이해해야 하며, 그 외의 것은 이해하지 않는다.

위의 두 개의 정리가 마음의 핵심 기능입니다. 엄밀히 말해서 몸의 순간 변화에 대한 관념으로 존재하는 감정의 마음에 고유한 이성의 기능입니다. 마음은 의지 및 의지력에 근거하여 몸 또는 감정을 통제하는 것이 아니라 몸 또는 감정을 신적 본성의 필연성으로 이해하는 것입니다. 따라서 의지에 대한 스피노자의 다음과 같은 정리는 데카르트의 오류를 간단히 해결합니다.

제1부 정리 32: 필연으로 존재하는 감정

의지를 자유 원인이라고 부를 수 없다. 그것은 단지 필연적 원인이다.

의지는 절대적으로 자유 원인이 아닙니다. 실체의 속성을 구성하지 않습니다. 여기에서 필연적 원인이란 의지가 실질적으로 신의 속성인 마음이 변하여 구체적인 양태로 드러난 것에 불과하다는 뜻입니다. 여기에는 두 가지 중요한 사실이 있습니다. 하나는 의지는 엄격히 말해서 신의 속성이 아니라는 사실이며, 다른 하나는 이 사실로부터 의지는 절대적으로 신의 속성으로서 몸 및 그것의 변화로서 몸의 무한 양태 및 감정의 무한 양태를 통제하거나 조절할 수 없다는 사실입니다.

그러므로 마음은 무엇보다도 의지력을 발휘하는 주체가 아니며 본질적으로 신의 본성에 고유한 영원의 필연성 및 신의 속성으로부터 필연적으로 생겨나는 양태들의 본성 및 순간 변화를 신의 본성인 영원의 필연성으로 이해하는 것입니다.

제1부 정리 35: 감정의 영원한 필연성

우리가 신의 힘 안에 있는 것으로 생각하는 모든 것은 영원의 필연성으로 존재한다.

제1부 정리 36: 믿음으로 배우는 감정과학

결과를 산출하는 것이 원인이므로 원인은 자기 존재의 필연성을 따라서 반드시 결과를 산출한다.

마음의 본질은 이성이며, 이것의 힘은 몸의 생김과 놀이(감정)를 신에 고유한 본성인 영원무한의 필연성으로 명백하게 이해하는 것입니다. 이 이해를 통해서 마음은 자신, 즉 자기 몸의 순간 변화 및 자연을 구성하는 모든 몸의 순간 변화를 믿고 배우며 끝내 모든 감정의 순수지선을 이해하고 믿습니다.

제2부 서문 4: 마음의 진실

사실, 의지와 운동 사이에 공통된 기준이 없는 것처럼, 마음의 힘과 몸의 힘 사이에는 그 어떤 비교도 성립할 수 없다. 따라서 어느 한 쪽의 힘의 강도가 다른 한 쪽의 힘의 강도를 결정할 수 없다. … 그러므로, 앞에서 언급한 바와 같이, 마음의 힘은 오로지 '이해력'으로 정의되므로, 우리는 마음의 이해만을 토대로 감정에 대한 치료를 결정해야 한다. 또한 나는 이에 기초하여 모든 사람이 경험했지만 정확하게 관찰하거나 분명하게 보지 못한 감정에 대한 치료 방법을 결정할 것이다. 끝으로 동일한 기초 위에서 마음의 행복과 관련된 모든 결론들을 도출할 것이다.

분석

감정의 자기이해, 즉 감정으로 존재하는 마음이 감정에 고유한 본성의 필연성을 영원무한으로 이해하는 것이 마음의 이성이며 그에 고유한 능력입니다. 우리는 이 지점에서 스피노자 윤리학의 핵심이 감정에 대한 참다운 이해를 형성하는 감정의 자기이해라는 것을 최종적으로 확인할 수 있습니다. 스피노자는 신에 대한 참다운 인식을 확립함으로써 신의 존재가 사실상 감정이라는 사실[총서 제1권], 그렇기 때문에 감정이 신의 존재를 증명한다는 사실[총서 제2권]을 확인합니다. 이 사실에 기초하여 감정의 핵심인 욕망이 자기이해를 최고의 행복으로 추구하는 이성이라는 사실[총서 제3권]을 확인합니다. 그 결과 감정의 자유와 예속이 무엇인지 명확히 제시[총서 제4권]할 수 있었습니다. 그러므로 이번 총서 시리즈의 마지막으로서 제5권은 감정의 자기이해이며, 이것은 사실상 감정으로 존재하는 신이 자기 변화에 고유한 본성의 필연성을 영원무한으로 이해하는 신의 자기이해라는 사실을 확인합니다. 총서 제5권의 제목이 '신을 향한 지적인 사랑'인 이유입니다.

스피노자 에티카 5부 공리

제5부 공리 1: 감정 이해의 옳고 그름

만약 한 주체 안에서 두 가지 상반된 행동이 시작된다면, 변화가 반드시 발생해야 하며, 이 변화는 두 가지 행동 모두에 발생할 수도 있고, 또는 두 가지 중 하나에 발생할 수도 있다. 그리고 그 상반된 특성이 사라질 때까지 변화는 계속된다.

분석

어느 한 주체 안에 발생하는 두 가지 상반된 행동이 무엇인지 이해하는 것이 중요합니다. 이 공리의 아름다움을 확인하는 방법입니다. 그런데 이 「공리」에 앞서서 우리가 살펴본 것은 「서문」입니다. 우리가 이 흐름에 주목한다면, 서문에서 다룬 주제의 연장선에서 이 공리를 이해해야 합니다. 서문의 핵심은 마음에 고유한 능력으로서 이성의 힘입니다. 즉, 몸의 순간 변화에 대한 관념을 형성함으로써 감정으로 존재하는 마음이 자기 존재에 고유한 본성의 필연성을 인식하는 감정의 자기이해가 감정의 이성이며, 이 이해를 형성하는 마음의 본래 능력이 이성의 힘입니다.

스피노자는 이 주제를 의지 또는 의지력과 비교하면서 일관되게 이성의 힘을 강조합니다. 이것은 매우 중요한 논점입니다. 스피노자에 의하면 마음의 본질은 엄격히 말해서 '의지'가 아니라 이해를 형성하는 '지성'에 있습니다. 마음의 본질을 의지에 두는 사람들은 감정 그 자체에 고유한 본성의 필연성을 인식하는 대신 감정의 현상에 집착하며 그것의 겉모습을 자신이 추구하는 목적에 맞게 변화시키려고 합니다. 이 지점에서 자유로 포장된 의지는 비윤리적인 억지로 변질된다는 것이 스피노자 윤리학의 핵심 주장입니다. 이러한 억지는 급기야 감정의 원인을 감정의 본성이 아닌 감정 외부에 있는 조건이나 환경 또는 또 다른 감정의 양태에 둡니다. 그 결과 감정에 대한 타당한 인식을 결여하게 됩니다.

이러한 인식의 결여를 스피노자는 '예속'으로 정의합니다.

제4부 서문: 인간의 예속

감정의 조절과 통제에 관하여 인간의 무능력을 나는 '예속'이라고 정의한다. 자신의 감정에 사로잡힌 인간은 감정의 주인이 아니라 운세 같은 우연성이나 외부 원인에 자신을 맡기며 그런 것에 의해서 자기의 감정이 결정되었다고 타당하지 못하게 이해한다. 그 결과 자신에게 진실로 좋은 것이 무엇인지 보면서도 뜻밖에 더 나쁜 것을 쫓아가는 충동에 빠진다.

감정이 자기 존재와 활동을 신적 본성의 필연성 안에서 이해하는 것은 감정에 고유한 이성의 힘입니다. 이 이해로부터 감정은 자신의 순수지선을 이해할 뿐만 아니라 세상의 모든 감정을 존재 그 자체에 고유한 본성의 필연성으로 참답게 이해합니다. 이 이해가 감정의 자기이해이며, 감정과학이 추구하는 배움의 핵심입니다. 그러나 이 이해를 결여하면, 그 즉시 감정 스스로 부자유의 예속 상태에 빠지게 됩니다. 감정은 영원의 필연성으로 신적 본성의 필연성에 의해서 존재하고 활동하도록 결정되어 있음에도 불구하고 자신의 존재가 자기 본성이 아닌 다른 것에 의해서 결정되어 있다는 착각에 빠지는 것입니다. 이 착각에 의해서 감정은 자신을 지금과 다른 방식으로 바꿀 수 있다는 터무니없는 목적론에 몰입하게 됩니다.

이러한 몰입의 비극을 스피노자는 "자신에게 진실로 좋은 것이 무엇인지 보면서도 뜻밖에 더 나쁜 것을 쫓아가는 충동에 빠진다."라며 감정의 '예속'으로 불렀습니다. 감정으로 존재하는 우리 모두는 자신의 감정이 가장 소중하고 아름답습니다. 아주 간단한 예로 우리가 화를 내고 있을 때 친구나 가족이 우리의 감정을 나쁜 것이라고 규정하고 있다고 상상해 봅시다. 우선, 우리는 더 크게 화를 느끼게 됩니다. 그런데 다른 한편으로 그들로 인해 우리는 뜻밖에 자신의 화를 부정하려는 지경에 처하게 됩니다. 이런 경험을 계속 겪게 되면 우리는 더 이상 화를 느끼지 않으려고 합니다. 그 결과 우리는 감정을 억제하거나 통제하는 의지력을 기르겠다고 결심합니다. 자신의 소중한 감정을 부정하려는 충동에 빠집니다.

이러한 비극을 스피노자는 감정의 충돌로 정의합니다.

제4부 정의 5: 감정의 충돌

감정의 충돌이란, 나는 한 인간을 서로 다른 방향으로 끌고 가는 감정으로 이해한다. 충돌하는 감정들이 같은 종류에 속하는 경우라고 해도 마찬가지이다. 예를 들어서 사치와 탐욕은 둘 다 사랑의 종류이기 때문에 본성 상 서로 반대되는 감정은 아니지만 우연적으로 충돌한다.

우리가 어떤 감정을 느낄 때 그와 동시에 자신의 감정을 부정하거나 느끼지 않으려고 하면, 그것이 곧 '감정의 충돌'입니다. 그러나 이러한 상황은 지속될 수 없습니다. 반드시 어느 하나로 수렴됩니다. 지금 우리가 공부하고 있는 공리가 그 근거입니다.

> 만약 한 주체 안에서 두 가지 상반된 행동이 시작된다면, 변화가 반드시 발생해야 하며, 이 변화는 두 가지 행동 모두에 발생할 수도 있고, 또는 두 가지 중 하나에 발생할 수도 있다. 그리고 그 상반된 특성이 사라질 때까지 변화는 계속된다.

위의 공리에 근거하면, 결국 우리에게 주어진 것은 둘 중 하나입니다. 화를 느낄 때마다 화를 내는 것, 아니면 화를 억제하는 것입니다. 그러나 어느 경우이든지, 결론은 감정의 예속입니다. 왜냐하면 화를 느낄 때마다 화를 내는 것은 엄밀히 말해서 화 그 자체 고유한 본성을 이해하는 것이 아니기 때문입니다. 한편으로 의지력에 의존함으로써 화의 존재를 부정하거나 억제하는 것은 더욱 터무니없는 것입니다. 최소한 전자의 경우는 화의 존재를 부정하지 않기 때문에 굳이 따지자면 전자가 감정과학의 기초입니다. 무엇보다도 감정의 존재가 부정당하지 않습니다. 따라서 화를 내거나 그와 반대로 억제하는 것은 사실상 '예속 상태'이기 때문에 엄격히 말해서 이 둘은 어느 한 주체 안에서 발생하는 두 가지 상반된 행동이 아닙니다. 현상적으로 그렇게 보일 뿐입니다.

이 지점에서 우리에게 여전히 궁금한 것은 어느 한 주체 안에서 발생하는 두 가지 상반된 행동이 무엇인지 정확히 밝히는 것입니다. 아래의 정리를 보면 쉽게 알 수 있습니다.

제3부 정리 1: 욕망의 이성

우리의 마음은 특정한 경우에는 능동적으로 작용하며, 또 다른 특정한 경우에는 수동적으로 작용을 받는다. 우리의 마음이 타당한 개념을 가진 한에서 마음은 필연적으로 능동적인 작용을 하며, 우리의 마음이 타당하지 않은 개념을 가진 한에서 마음은 필연적으로 수동적인 작용을 받는다.

감정이 자기 존재에 대한 인식에 관하여 능동과 수동의 구별이 어느 한 주체 안에서 발생하는 두 가지 상반된 행동입니다. 감정으로 존재하는 마음이 자기를 이해함에 있어서 자기 존재에 고유한 본성의 필연성을 인식하는 것이 마음의 능동입니다. 반면, 마음의 수동은 감정이 자기 본성 아닌 다른 것에 의해서 결정되었다고 잘못 인식하는 것입니다. 그러나 이것을 근거로 마음의 이해에는 능동과 수동이 교차한다고 주장하면 그것은 크게 공부를 잘못 한 것입니다. 왜냐하면 마음의 능동은 마음에 고유한 이성의 힘이며, 그것은 곧 감정의 자기이해이기 때문입니다. 반면, 마음의 수동은 감정으로 존재하는 마음이 자기 본성에 대한 명백한 인식을 결여한 것으로서 자기 인식의 오류입니다.

이 지점에서 다음과 같은 질문을 하는 것은 매우 정당합니다.

마음은 왜 자기 본래의 능력을 어기는 인식의 수동 또는 인식의 오류에 빠지는 것입니까? 마음의 결함이 아닙니까? 더 나아가 그렇게 마음을 만든 것은 신의 실수가 아닙니까?

이 질문에 대한 답으로 스피노자는 다음의 정리를 제시합니다.

제4부 정리 3: 감정의 유한성

인간이 자기 존재를 지속하는 힘은 제한되어 있으며 외부 원인의 힘에 의하여 무한히 압도된다.

제4부 정리 4: 묻고 배우는 감정의 이성

인간이 자연의 일부로 존재하지 않는다는 것은 불가능하며, 그렇기 때문에 자기 몸의 변화를 오직 자기 몸의 본성으로 이해함으로써 그 자신이 타당한 원인으로 존재하는 것도 불가능하다.

마음이 감정의 양태로 존재하는 한에서 양태는 자신과 다른 양태와의 관계에서 유한성을 갖습니다. 이 역시 감정의 양태에 고유한 본성의 필연성입니다. 그렇기 때문에 감정이 자신의 존재를 인식함에 있어서 수동 또는 오류에 빠질 수 있는 것도 자연스러운 것입니다. 그러나 그렇다고 해서 감정이 자기 존재를 인식함에 있어서 수동이나 오류로 살도록 결정되었다고 주장해서는 안 됩니다. 왜냐하면 감정의 양태로 존재하는 마음은 자기 존재를 인과의 필연성에 근거하여 이해하는 능력을 본래부터 가지고 있기 때문입니다. 이에 대한 가장 확실한 증거가 부모를 생각하는 자식의 마음입니다. 이 능력에 근거하여 감정의 양태로 존재하는 마음은 자기 존재에 고유한 본성의 필연성을 이해할 수 있는 능력을 본래부터 가지고 있습니다.

이 능력이 분명하기 때문에 감정의 양태로 존재하는 마음은 얼마든지 자기 존재에 관한 인식의 오류 또는 수동을 능동으로 올바르게 이해할 수 있습니다. 즉, 감정의 양태로 존재하는 마음은 얼마든지 자기 존재의 원인을 외부에 둘 수 있지만, 다른 한편으로 얼마든지 자기 존재를 그 자체에 고유한 본성의 필연성으로 이해할 수 있다는 것입니다. 이러한 구분이 분명하기 때문에 인식의 능동에 근거하여 인식의 수동 또는 오류를 주장할 수 있습니다. 바로 이 지점에서 우리는 감정의 충돌을 이해할 수 있습니다. 감정의 양태로 존재하는 마음은 자신을 이해함에 있어서 수동으로 이해할 수 있지만 이와 완전히 반대되는 것으로서 능동으로 이해할 수 있습니다.

21세기를 살아가는 지금 우리에게는 감정에 대한 과학적 탐구로서 감정과학이 매우 어렵게 다가옵니다. 그 이유는 우리 시대의 학문론은 감정에 고유한 본성을 배우지 않기 때문입니다. 오히려 감정의 감각적 현상 또는 감정에 의한 결과적 현상이나 행동에 의존함으로써 감정을 해석하며, 최종적으로 감정의 선악(善惡)을 판단합니다. 그 결과 감정에 대한 통제나 조절을 당연한 것으로 간주합니다. 이러한 현실에서 감정에 고유한 본성의 필연성을 인식하며, 그에 기초하여 모든 감정의 순수지선을 이해하고, 궁극적으로 감정 이해가 곧 신을 이해하는 것이라고 주장하는 감정과학은 감당하기 어렵습니다. 바로 이 지점에서 감정의 충돌이 일어납니다.

지금까지 내가 배운 감정에 대한 이해는 감각적 현상에 의존한 해석인데, 감정과학은 그러한 이해를 수동적 인식 또는 감정 인식의 오류라고 합니다. 무한한 방식으로 무한한 감정은 단 하나의 예외없이 자기 존재에 관하여 본성의 필연성을 영원성으로 갖고 있기 때문에 우리가 감정을 느끼거나 경험할 때 감정을 감각적 현상으로 바라보는 대신 그 자체에 고유한 본성의 필연성을 이해하자는 감정과학은 오히려 지금 우리에게 터무니없는 것으로 다가옵니다. 그러나 스피노자는 감정과학에 대한 믿음이 확고부동합니다. 왜냐하면 감정을 느끼는 우리 자신의 경험에 비추어보아도 감정의 존재에 고유한 필연성과 그로부터 나오는 감정의 순수지선은 명백하기 때문입니다. 모든 감정은 그에 합당한 원인을 가지고 있으며, 그러한 한에서 그 어떤 감정도 존재를 부정당하지 않습니다.

이 명백한 사실에 근거하여 스피노자는 무한한 방식으로 무한하게 존재하는 감정을 느끼거나 경험할 때마다 그 각각에 나아가 그에 고유한 본성의 필연성을 영원무한 그 자체로 배워서 이해하자고 합니다. 그렇게 하면 모든 감정은 자기 존재 관하여 영원무한의 필연성을 본성으로 갖는다는 사실을 명백하게 이해하며, 그러한 한에서 모든 감정은 순수지선으로 존재하고 있다는 사실을 깨닫게 된다는 것입니다. 우리가 이 깨달음을 얻기 전까지는 모든 감정을 감각적 현상으로 바라보며 해석하기 급급했으며, 그만큼 감정에는 좋은 것과 나쁜 것이 뒤섞여 있다고 생각했습니다. 그러나 우리가 스피노자의 윤리학에 근거하여 감정과학을 연마하면 그것은 감정에 대한 인식의 오류라는 것을 뉘우치게 됩니다.

이러한 뉘우침 덕분에 우리는 매순간 감정을 느끼거나 경험할 때마다 감정의 충돌을 겪게 됩니다. 어느 한 감정을 느끼는 즉시 우리는 이전의 습관으로 인하여 감정을 수동적으로 이해하게 되지만, 그와 동시에 다른 한편으로 감정은 감정과학을 연마한 덕분에 감정을 능동적으로 이해하려고 애씁니다. 이러한 방식으로 감정이 자신 및 자기가 경험하는 감정을 이해하는 한에서 감정은 충돌을 겪게 됩니다. 그러나 이것은 절대적으로 전쟁 상태 또는 정신 분열의 상태가 아닙니다. 왜냐하면 그러한 충돌은 감정이 자신을 이해함에 있어서 인식의 옳음과 그름 사이에서 자신의 옳음을 확보하려는 욕망의 이성적 기능에 의해서 발생하기 때문입니다.

제3부 정리 12: 감정의 욕망

마음은 자신이 할 수 있는 한에서 자기 몸의 활동 능력을 증대시키거나 그러한 변화에 도움을 주는 몸들을 생각하려고 노력한다.

이러한 충돌은 감정이 자신에 대한 올바른 인식을 확립함으로써 자신의 순수지선을 확보함과 동시에 자신이 교차하는 자연의 모든 감정을 순수지선으로 확보하려는 노력에 수반되는 것일 뿐입니다. 이 노력의 결과는 결국 감정의 충돌을 감정 인식의 능동으로 수렴하게 합니다. 왜냐하면 감정의 능동은 신적 본성의 필연성에서 나오기 때문에 사실상 근본 없는 감정의 수동은 감정의 능동에게 허상에 불과하기 때문입니다. 감정이 감정과학을 연마함으로써 자기 이해의 진실을 확인하면, 그 즉시 감정은 더 이상 실체 없는 감정의 수동에 예속되지 않는 자유를 누리게 되어 있습니다.

제4부 정리 7: 감정의 전쟁과 평화

어느 한 감정은 자신과 반대될 뿐만 아니라 자신 보다 더 강한 감정에 의해서만 억제되거나 파괴된다.

어느 한 감정이 자기이해를 통해서 자기 존재의 진실을 이해하면, 감정은 자신의 진실을 신적 본성의 필연성 안에서 이해하게 됩니다. 감정은 자기이해를 통해서 자기 존재의 진실이 신의 존재를 증명하는 성스러운 것임을 이해합니다. 이 이해로 인하여 감정은 절대적으로 수동으로 자신을 이해하지 않습니다. 감정이 능동으로 자신을 이해하면 수동은 저절로 흔적 없이 사라집니다. 수동의 인식은 근본이 없는 것이라서 그렇습니다. 아래에 제시된 4개의 정리를 이해해야 합니다.

제4부 정리 14: 감정의 통제

감정을 통제하는 유일한 방법은 감정 스스로 선악(善惡)에 대한 참다운 인식을 형성함으로써 자신의 순수지선을 느끼는 것이며, 그렇기 때문에 감정 스스로 자신에 대한 올바른 이해와 동시에 자신의 순수지선을 느끼지 못하면 절대적으로 감정은 통제되지 않는다.

제4부 정리 23: 감정의 지행일치

우리가 감정에 대한 타당하지 못한 개념(이해)으로 행동하는 한에서, 오직 이 사실만으로 그리고 다른 것은 전혀 고려할 필요 없이, 우리는 덕으로 행동한다고 말할 수 없다. 그러나 우리가 감정의 자기이해로 살아가는 한에서 우리는 덕으로 살아간다고 말할 수 있다.

제4부 정리 27: 감정의 선악 판단

감정은 자기이해에 도움이 되는 것을 확실하게 선(善)으로 이해하며, 반대로 자기이해에 방해되는 것을 확실하게 악(惡)으로 이해한다. 이 이해 이외에 감정은 그 어떤 것에 대해서도 선악(善惡)을 확실하게 판단할 수 없다.

제4부 정리 28: 감정의 신 인식

감정의 마음에게 최고의 선(善)은 신에 대한 이해이며, 감정의 마음에게 최고의 덕은 신을 이해하는 것이다.

그러므로 감정이 지금 자신의 존재에 나아가 그에 고유한 본성의

필연성을 이해하는 한에서 감정은 인식의 수동과 충돌하게 되지만, 그것은 결국 감정의 능동으로 수렴하게 되어 있습니다.

제5부 공리 2: 감정의 같음과 다름

결과의 본질이 그 원인의 본질을 통해서 설명되거나 정의되는 한에서 결과의 힘은 그 원인의 힘에 의해서 정의된다. 이 공리는 제3부 정리 7에 의해서 명백하다.

분석

이 공리를 이해하기 위해서 우선 우리는 『제3부』의 「정리 7」에 대해서 살펴볼 필요가 있습니다.

제3부 정리 7: 욕망의 진실

각각의 몸이 자신의 '욕망'(conatus)으로 자기 존재를 유지하려는 노력은 그 몸 자신의 현실적 본질이다.

몸 자신의 현실적 본질은 몸의 순간 변화인 감정입니다. 지금 내가 느끼는 나의 감정 또는 내가 경험하는 자연의 모든 감정이 몸의 순간 변화입니다. 나는 이 감정을 통해서 나 자신의 현실을 확인할 뿐만 아니라 자연 안에 존재하는 모든 몸의 현실을 지각할 수 있습니다. 이 사실은 다음의 정리에 의해서 명백합니다.

제2부 정리 11: 인간의 마음

인간 마음의 현실적 존재를 구성하는 것은 현실적으로 존재하는 개별적 몸에 대한 개념이다.

제2부 정리 12: 몸을 떠나지 않는 마음

인간의 마음을 구성하는 개념의 대상 안에서 발생하는 모든 것은 반드시 인간의 마음에 의해 인지된다. 즉, 그에 대한 개념은 필연적으로 인간의 마음 안에 존재한다. 다시 말해서 인간의 마음을 구성하는 개념의 대상이 몸이라면, 자신의 몸 안에서 일어나는 모든 것은 마음에 의해 인지된다.

마음은 자기 몸의 순간 변화, 즉 '감정'에 대한 개념을 형성함으로써 그것으로 자기 몸의 현실적 존재 또는 본질을 확인합니다. 그런데 앞에서 제시한 『제3부』의 「정리 7」에 의하면 감정의 원인은 "'욕망'(conatus)"입니다. 그렇기 때문에 우리는 반드시 지금 우리가 공부하고 있는 공리를 욕망과 감정 사이에 놓인 인과의 필연성으로 이해해야 합니다. 즉, 감정을 떠나서 『제5부』의 「공리 2」를 논의하는 것은 매우 공허할 뿐만 아니라 스피노자의 윤리학을 올바르게 이해하는 방법이 아닙니다.

이제 다음으로 우리가 제기할 수 있는 질문은 욕망의 원인에 관한 것입니다. 욕망도 당연히 자기 존재에 관하여 원인을 필연적으로 갖습니다.

제1부 정리 36: 믿음으로 배우는 감정과학

결과를 산출하는 것이 원인이므로 원인은 자기 존재의 필연성을 따라서 반드시 결과를 산출한다.

제1부 정리 25: 성스러운 나의 감정

신은 사물의 존재뿐만 아니라 본질에 대해서도 실질적인 원인이다.

위의 두 개의 정리에 근거하여 결국 감정의 원인은 욕망이며 욕망의 원인은 신이라는 결론이 나옵니다. 이 결론을 보다 구체적으로 다음의 정리에서 이해할 수 있습니다.

제1부 정리 28: 성스러운 나의 감정

모든 개별적인 것, 즉 유한하고 한정된 양태로 존재하는 모든 것은 유한하고 한정된 양태로 존재하는 또 다른 원인에 의하여 존재하고 행동하도록 결정된다. 그리고 이 원인 또한 유한하고 한정된 양태로 존재하는 또 다른 원인에 의하여 존재하고 행동하도록 결정된다. 이렇게 무한히 진행한다.

제1부 정리 29: 성스러운 나의 감정

세상의 모든 것은 우연이 아니라 신의 본성에 고유한 영원무한의 필연성에 의하여 특정한 방식으로 존재하고 작동하도록 결정되어 있다.

이 지점에서 우리는 신의 존재 및 그에 고유한 본성이 무엇인지 분명하게 이해할 필요가 있습니다. "신의 본성에 고유한 영원무한의 필연성"은 무엇일까요? 우리는 인간 감정에 고유한 진실이 무엇인지 이해하려는 목적 하에 스피노자의 윤리학을 공부하고 있습니다. 우리가 이 목표에 동의한다면, 방법의 핵심은 지금 우리 자신의 감정에 집중하여 생각하고 배우는 것입니다. 감정은 몸의 순간 변화이며, 이것은 실질적으로 몸의 놀이입니다. 그런데 몸의 놀이는 논리적으로 몸의 생김 이후입니다. '몸-생김'이 '몸-놀이'에 앞섭니다. 그렇기 때문에 몸-놀이의 본질을 이해하기 위해서는 몸-생김의 본질을 반드시 이해해야 합니다. 왜냐하면 생김의 몸으로 놀이하기 때문입니다.

몸-생김의 진실을 신적 본성에 고유한 영원무한의 필연성으로 이해한다는 것은 무엇일까요. 이 물음의 답을 구하는 방법은 우리 자신의 생각의 기초를 우리 자신의 몸에 두는 것입니다. 아래에 제시된 논리의 흐름을 따라서 우리가 함께 생각해 보면, 문제의 답을 구할 수 있습니다.

지금 내가 나의 몸으로 존재하고 있다는 사실에 근거하여 생김에 대해서 생각해 보면, 엄마의 몸과 아빠의 몸이 존재해야 한다는 사실 그리고 이 두 몸이 사랑 안에서 하나로 존재해야 한다는 사실은 영원무한의 필연성입니다. 물론 내 몸을 낳아준 엄마아빠의 이야기를 공간과 시간의 한계 안에서 감각적으로 지각되는 현상으로 바라보면 그 이야기 속에는 많은 곡절과 우연성이 존재하는 것 같습니다. 그러나 지금 나의 생각 안에서 내 몸이 존재하고 있다는 자명한 사실에 나아가 그 존재의 필연성에 대해서 생각해 봅시다. 엄마의 몸과 아빠의 몸은 각각 단 하나로 존재해야 하며 서로 다른 이 두 몸은 단 하나의 사랑 안에서 존재합니다. 그 결과 지금 단 하나로 존재하는 나의 몸이 생겨납니다. 이 자명한 사실은 영원무한의 필연성입니다.

내 몸의 생김에 관한 한 신적 본성에 고유한 영원무한의 필연성은 단 하나의 사랑 안에서 단 하나로 존재하는 엄마의 몸과 아빠의 몸입니다. 완전히 서로 다른 엄마의 몸과 아빠의 몸이 단 하나의 사랑 안에서 본래부터 하나의 몸으로 존재하고 있다는 사실, 그와 동시에 그럼에도 불구하고 엄마의 몸과 아빠의 몸은 절대 서로 섞일 수도 분리될 수도 없다는 사실을 영원무한의 필연성으로 이해하는 것이 신적 본성에 고유한 영원무한의 필연성을 내 몸의 생김에서 깨닫는 진리입니다. 서로 다른 것이 본래 하나라는 사실 아래에서 서로 다른 것이 고맙고 서로 다른 것을 존경하는 것이 사랑의 진실입니다. 이 사랑에 의해서 지금 나의 몸이 생겨났다면, 나의 몸으로 하는 놀이의 진실은 무엇일까요? 나와 다른 몸 그리고 나와 다른 방식으로 존재하는 감정에 나아가 다름을 부정하기 보다는 사랑 안에서 다름을 배워서 서로 다름을 고마워하며 존중하는 것입니다.

이 사랑이 내 몸의 생김에 고유한 신적 본성의 영원한 필연성이라면, 당연히 이 사랑은 내 몸의 놀이에 고유한 신적 본성의 영원한 필연성입니다. 이 필연성에 의하여 욕망의 본질은 내 몸의 생김에 고유한 신적 사랑의 완전성이며, 따라서 이 사랑에 의해서 무한한 방식으로 무한한 감정은 생성과 변화 및 소멸을 무한한 방식으로 느끼며 경험합니다. 지금 이 논의에서 핵심은 신의 본성에 고유한 영원무한의 필연성이 몸-생김에 국한되는 것이 아니라 몸-놀이에도 엄정하게 존재하고 있다는 사실입니다. 이것은 우리 스스로 생각해 보면 지극히 당연한 것입니다. 왜냐하면 생김의 몸으로 놀이한다는 사실로부터 생김에 존재하는 신은 당연히 놀이에도 존재하기 때문입니다. 신의 존재가 생김과 놀이로 분열된다는 뜻이 아닙니다. 생김과 놀이를 품고 있는 것이 신입니다.

그러므로 지금 우리가 분석하고 있는 공리의 핵심은 무한한 방식으로 무한한 감정(몸의 순간 변화)은 절대적으로 신의 본성의 필연성 안에 존재하며, 오직 이 본성만을 따라서 생겨난다는 사실을 이해하는 것입니다. 그리고 실질적으로 감정의 본질이 영원무한의 사랑이라는 사실을 이해하는 것입니다. 어떤 때에는 나 자신에게 나의 감정이 나와 다른 것 같아서 이해하기 어렵게 다가옵니다. 나와는 다른 방식으로 존재하는 자연의 무한한 감정은 말할 것도 없습니다. 이때 행복을 위한 윤리적인 방법은 무엇일까요? 우선 그 모든 감정이 영원무한의 필연성으로 신적 사랑에 의해서 존재하도록 결정되었다는 사실을 이해하고 믿어야 합니다. 이 믿음으로 우리는 감정의 다름을 영원무한의 필연성으로 배움으로써 그것의 순수지선을 즐기게 됩니다.

스피노자 에티카 5부 정리

제5부 정리 1: 감정의 질서

사유와 감정에 대한 관념이 마음 안에서 정렬되고 연결되는 것과 같이 몸의 변화 또는 감정에 대한 표상은 몸 안에서 정렬되고 연결된다.

분석

윤리학 『제5부』의 서문에서 확인했듯이 스피노자의 윤리학은 인간 정신의 이성이 자신의 힘을 통해서 누리게 되는 행복과 자유가 무엇인지 밝히는 것입니다. 이때 '이성의 힘'은 어떤 목적을 향해서 감정을 조절하거나 통제하는 의지력이 아닙니다. 이성의 힘에 의한 감정의 조절과 통제는 실질적으로 감정의 자기이해입니다. 감정이 자기 존재에 고유한 본성의 필연성을 인식함으로써 감정 스스로 영원의 필연성 안에서 자신의 순수지선 또는 최고선을 자명하게 이해하는 것입니다. 이 이해가 신적 완전성 그 자체인 최고의 사랑일 수밖에 없는 이유는 감정의 자기이해가 필연적으로 모든 감정을 존재 그 자체로 긍정하기 때문입니다.

이러한 감정의 진실을 확인하기 위해서는 무엇보다도 감정 그 자체의 진실이 분명해야 합니다. 감정에 대한 인식 또는 감정의 자기이해와 상관없이 감정은 존재 그 자체로 영원의 필연성을 본성으로 가지고 있다는 사실이 분명해야 합니다. 감정은 기본적으로 신체적

사건입니다. 그렇기 때문에 감정은 자기 존재에 관하여 몸의 본성을 따릅니다. 이 사실로부터 감정은 마음에 의해서 좌우되지 않습니다. 이 사실이 명확할 때 마음은 감정에 대해서 그 어떤 자유의지도 자신에 없다는 것을 이해합니다. 감정에 대한 참다운 인식을 형성하는 기초가 여기에 있습니다.

이상의 논의에 근거하여 감정에 대한 기본 정의를 살펴보겠습니다.

> 제3부 정의 3: 감정의 기본 정의
>
> 《감정》에 관하여, 나는 '몸의 변화'로 이해한다. 마음은 그와 동시에 변화에 대한 '개념'을 형성한다. 즉, 몸의 변화와 동시에 마음은 그에 대한 개념을 형성하며, 이 개념과 함께 몸은 자신의 활동 능력을 증대시키게 되거나 감소시키게 되며, 또는 자신의 활동 능력을 보다 더 크게 할 수 있게 되거나 억제될 수 있게 된다.

몸은 무한한 방식으로 무한히 변화합니다. 이것을 '확장되는 몸'이라고 합니다. 신의 속성인 '확장되는 몸'에 근거하여 몸은 무한한 방식으로 생겨나며 동시에 무한한 방식으로 변화합니다. 스피노자는 이 변화를 '감정'이라고 부릅니다. 몸의 변화는 철저히 몸의 본성 또는 신의 속성인 확장되는 몸 안에서 정렬되며 연결됩니다. 이 변화와 동시에 마음은 그에 대한 개념을 형성합니다. 마음은 생각하는 것이며, 그렇기 때문에 마음은 신의 속성 가운데 하나인 '사유'를 자기 존재에 고유한 필연성으로 갖습니다. 즉, 몸이 자기 속성인 확장되는 몸을 따라서 무한히 변화하면, 마음은 자기 속성인 사유하는 마음을 따라서 몸의 무한 변화 순간순간에 대해서 개념을 형성합니다.

이와 같은 논리적 질서 또는 순서는 다음의 정리에 근거하여 명백합니다.

제2권 정리 5: 감정에 대한 타당한 이해

개념의 실재적 존재는 신을 생각하는 것으로 이해하는 한에서 신을 자신의 원인으로 이해하며, 사유 이외 다른 속성으로 신을 이해하는 한에서는 그렇지 않다. 다시 말해서 신의 속성에 대한 개념과 신의 속성으로부터 산출되는 개별 양태에 대한 개념은 신을 사유하는 것으로 이해하는 한에서 신을 실질적인 원인으로 인정한다. 개념의 '대상'이나 개념을 통해서 지각된 '사물'은 개념의 형성에 관하여 실질적인 원인이 아니다.

제2권 정리 6: 감정에 대한 타당한 이해

어떤 속성의 양태는 신이 그 속성으로 이해되는 한에서 자기 존재의 원인으로 신을 소유하므로 그 속성 이외 다른 속성으로 신을 이해할 경우에는 신을 원인으로 소유하지 않는다.

제2권 정리 7: 영원무한의 필연성

개념의 순서와 연결은 몸의 순서와 연결과 동일하다.

신의 속성 가운데 하나인 몸으로부터 무한한 몸의 양태가 산출되며, 사유로부터 무한한 사유의 양태가 산출됩니다. 신의 속성인 몸으로부터는 절대적으로 사유의 양태가 산출되지 않습니다. 그 반대의 경우도 마찬가지입니다. 그렇기 때문에 마음이 몸을 결정할 수 있다거나 반대로 몸이 마음을 결정할 수 있다는 것은 논리적으로 모순입니다. 몸이 변화하면 마음은 그 변화와 동시에 그에 대한 개념을 형성합니다. 이 지점에서 서로 다른 몸과 마음은 본래 하나입니다. 즉, 단 하나의 실체 그리고 서로 다른 두 개의 속성이 무엇인지 이해할 수 있게 됩니다. 그것은 바로 '감정'입니다.

끝으로 몸과 마음의 논리적 정렬 및 연결에 관하여 아래에 제시된 정리들을 이해해야 합니다.

제2부 정리 22: 마음의 몸

인간의 마음은 몸의 변화뿐만 아니라 이러한 변화에 대한 개념들을 지각한다.

제2부 정리 19: 인식의 기초로서 감정

인간의 마음은 몸을 직접적으로 인식할 수 없으며, 몸의 변화에 대한 개념을 형성함으로써 몸을 인식한다.

제2부 정리 23: 마음의 몸

마음은 몸의 변화에 대한 개념을 지각하는 한에서만 자기 자신을 알 수 있다.

몸이 변화하면 마음은 그와 동시에 몸의 변화에 대한 개념을 형성합니다. 이 개념으로 인하여 마음은 몸의 존재를 인식하며 동시에 자기 존재를 인식합니다. 그렇기 때문에 우리는 지금 우리가 느끼는 감정을 떠나서 절대적으로 우리 자신의 몸과 마음이 존재한다는 사실을 인식할 수 없습니다. 그리고 이 인식은 우리가 경험하는 자연의 모든 몸과 마음에 공통됩니다. 우리가 이 정리를 통해서 확인하게 되는 것은 몸의 변화는 철저히 몸의 속성만을 원인으로 갖는다는 점 그리고 같은 논리로 몸의 변화에 대한 개념은 철저히 마음의 속성만을 원인으로 갖는다는 점입니다.

몸과 마음이 서로를 결정하는 원인과 결과의 관계를 맺지 않는다는 사실은 다음의 정리에 근거하여 명백합니다.

제3부 정리 2: 본래 하나인 몸과 마음

몸은 마음을 생각하도록 결정할 수 없다. 마찬가지로 마음도 몸을 움직이거나 정지하도록 또는 그 어떤 변화 상태로 결정할 수 없다.

그러므로 몸과 마음은 서로에게 인과의 필연성을 갖지 않습니다. 그렇기 때문에 마음이 의지력을 몸(감정)에 행사함으로써 몸(감정)의 변화를 지배하거나 통제할 수 있다는 것은 인과의 필연성을 제대로 파악하지 못한 인식의 오류에 불과합니다. 마음은 몸의 순간 변화에 대한 개념을 형성함으로써 자기 존재를 확인하기 때문에 마음의 기능은 무엇보다도 감정의 존재를 긍정하는 것입니다. 이 사실을 부정하면 마음은 자기 스스로 자기 존재의 기초를 부정하는 것이라서 터무니없는 것입니다. 우리가 이점을 분명히 하면, 이어지는 정리들을 쉽게 분석할 수 있습니다.

제5부 정리 2: 자기원인의 감정

만약 우리가 정신의 동요나 감정을 외부 원인에 대한 생각으로부터 분리하고 다른 생각들과 결합시킨다면, 그 외부 원인에 대한 애정이나 증오, 그리고 이러한 감정에서 발생하는 정신의 동요들은 파괴될 것이다.

분석

외부 원인은 반드시 자기원인과 구분해서 이해해야 합니다. 자기원인에 대한 정의는 다음과 같습니다.

제1부 정의 1. 자기원인으로 존재하는 감정

《자기원인》에 관하여, 나는 '자기 안에 자기의 존재를 본질로 가지고 있는 것' 또는 '자기의 생각 안에서 지금 자신이 존재하고 있다는 사실을 자기 스스로 명명백백하게 이해하는 것'이라고 이해한다.

자기원인에 대한 정의에서 가장 중요한 것은 '존재하는 것'이 자기 스스로 자기 존재를 이해하는 것입니다. 그렇기 때문에 외부 원인이란 '존재하는 것'(감정)이 자기 존재를 이해함에 있어서 자기 아닌 다른 것에 의존하는 것입니다. 이와 같이 감정이 자신을 이해함에 있어서 서로 다른 두 가지 방식, 즉 '자기원인'과 '외부 원인'을 분간하면, 감정 인식에 관한 능동과 수동의 구분이 분명하게 드러납니다. 감정이 자기 안에서 자기 존재를 이해하는 능동은 '자기원인'인 반면, 감정이 자기 존재를 이해함에 있어서 자기 아닌 다른 것에 의해서 자신이 존재하도록 결정되었다고 이해하는 수동은 '외부 원인'입니다.

어느 한 감정은 자연에 존재하는 무한한 감정의 양태 가운데 하나이기 때문에 얼마든지 외부 원인으로 자신을 이해할 수 있습니다.

제4부 정리 4: 묻고 배우는 감정의 이성

인간이 자연의 일부로 존재하지 않는다는 것은 불가능하며, 그렇기 때문에 자기 몸의 변화를 오직 자기 몸의 본성으로 이해함으로써 그 자신이 타당한 원인으로 존재하는 것도 불가능하다.

제4부 정리 6: 감정 이해의 수동

우리가 감정을 수동적으로 이해할 때 그것의 힘은 우리의 활동이나 능력을 얼마든지 압도할 수 있기 때문에 그러한 감정은 우리 안에 강력하게 고정될 수 있다.

감정은 양태로 존재하며 동시에 양태 상호간에 유한성을 맺기 때문에 얼마든지 자기 아닌 다른 감정을 외부 원인으로 이해하며 그것으로 자신의 존재를 이해할 수 있습니다. 이 이해가 감정의 자기 이해에 관하여 수동이며, 그러한 한에서 타당하지 못한 인식입니다.

제2부 정리 25: 몸을 배우는 마음

인간 몸의 각 변화에 대한 그 어떤 개념도 외부의 몸에 대한 타당한 인식을 포함하지 않는다.

제2부 정리 27: 몸을 배우는 마음

인간 몸의 변화에 대한 그 어떠한 개념도 인간 몸에 대한 타당한 인식을 포함하지 않는다.

제2부 정리 28: 감정 이해의 오류

인간 몸의 변화에 대한 개념들은, 그것들이 인간의 마음에만 관련된 경우, 명확하고 분명한 것이 아니라 혼란스럽다.

감정이 자기 존재를 이해함에 있어서 자신과 다른 양태와의 유한성에 의존하는 한에서 감정은 자신과 외부 원인으로 지목된 감정에 대해서도 타당한 인식을 형성할 수 없습니다.

그러나 얼마든지 감정은 자기원인으로 자신을 이해할 수 있습니다. 아래에 제시된 5 개의 정리를 이해해야 합니다.

제2부 정리 32: 감정의 자기이해

모든 개념은 신에 관련되는 한 참이다.

제2부 정리 40: 감정의 직관과학

마음 안에서 타당한 개념으로부터 나오는 모든 개념은 당연히 타당하다.

제2부 정리 45: 신성한 나의 감정

모든 몸 또는 현실적으로 존재하는 모든 특정한 몸에 대한 개념은 신의 영원하고 무한한 본질을 포함한다.

제2부 정리 46: 감정의 자기이해

모든 개념이 자기 안에 품고 있는 영원하고 무한한 신의 본질에 대한 인식은 타당하며 완벽하다.

제2부 정리 47: 내 마음의 진실

인간의 마음은 신의 영원하며 무한한 본질에 대한 타당한 인식을 가지고 있다.

현실적으로 존재하고 있는 감정이 자기 존재를 이해함에 있어서 외부 원인이 아닌 자기원인에 근거한다는 것은 자기 스스로 자기 존재를 이해함과 동시에 자기 스스로 자기 존재의 필연성을 이해한다는 것입니다. 그리고 감정이 자기 존재에 나아가 현상에 대한 해석이 아닌 존재에 고유한 본성의 필연성을 영원무한으로 이해하는 것은 실질적으로 '신'에 대한 이해입니다. 왜냐하면 신은 영원무한으로 존재하는 단 하나의 필연성이기 때문입니다. 이러한 신에 대한 정의에 입각하여 신은 자기 존재에 관하여 자기가 원인임과 동시에 결과이며, 그러한 한에서 영원무한의 필연성 그 자체가 신의 존재에 고유한 본성입니다.

감정이 자기 존재를 신에 고유한 본성으로 이해하는 한에서 감정은 자기원인으로 존재하는 실체이며, 오직 이 이유로 감정은 신의 존재를 증명하는 성스러운 것입니다.

제1부 정리 6: 본래부터 존재하는 감정

하나의 실체는 다른 실체에 의해서 산출될 수 없다.

제1부 정리 7: 감정 자체의 진실

존재는 실체의 본성에 속한다.

제1부 정리 8: 감정의 무한성

모든 실체는 필연적으로 무한하다.

제1부 정리 14: 감정, 신의 존재 증명

오직 신(神)만이 존재할 수 있으며 존재할 수 있다고 이해되는 실체이다. 신 이외 그 어떤 실체도 존재하지 않는다.

제1부 정리 15: 감정의 영원한 필연성

모든 것은 신 안에 있다. 신 없이는 어떤 것도 존재할 수 없으며 인식될 수도 없다.

제1부 정리 16: 감정의 영원한 필연성

신의 본성의 필연성으로부터 무한한 것이 무한한 방식으로 생겨난다. 즉, 무한한 지성의 범위 안에서 모든 것들이 무한한 방식으로 무한하게 생겨난다.

진실로 존재하는 것은 신이며, 신은 자기 존재에 대한 개념을 형성함에 있어서 오직 자기 자신에 근거합니다. 이것이 신의 본성에 고유한 최고의 완전성 또는 최고의 능동입니다. 그런데 이 존재로부터 모든 감정이 무한한 방식으로 무한하게 생겨납니다. 그렇기 때문에 엄밀히 말해서 자연 안에 존재하는 감정의 무한 양태는 자기 존재에 관하여 오직 신을 존재에 고유한 본성의 필연성으로 갖습니다. 사실상 외부 원인은 없으며, 그것이 존재한다는 생각 자체가 감정 스스로 자기 인식에 대한 오류에 빠진 결과일 뿐입니다.

그러므로 우리는 얼마든지 외부 원인이 있다는 착각과 함께 그에 의존함으로써 감정을 타당하지 못하게 이해할 수 있지만, 다른 한편으로 얼마든지 우리는 자기원인에 근거하여 감정을 참답게 이해할 수 있습니다. 그렇기 때문에 외부 원인에 의존하여 감정을 이해하는 우리가 자기원인에 입각하여 감정을 이해하면, 당연히 이전의 감정 이해는 사라지게 됩니다. 바로 이 지점에서 우리는 지금 우리가 공부하고 있는 『제5부』의 「공리 1」을 참고할 필요가 있습니다.

제5부 공리 1: 감정 이해의 옳고 그름

만약 한 주체 안에서 두 가지 상반된 행동이 시작된다면, 변화가 반드시 발생해야 하며, 이 변화는 두 가지 행동 모두에 발생할 수도 있고, 또는 두 가지 중 하나에 발생할 수도 있다. 그리고 그 상반된 특성이 사라질 때까지 변화는 계속된다.

우리가 자기원인에 의한 감정 이해의 능동을 확인하고 이 이해를 형성하기 위한 노력을 게을리 하지 않는 한에서 우리는 이전의 수동적인 이해에서 벗어나 점차 능동적인 타당한 인식을 형성하게 됩니다. 그 결과 더 이상 감정 인식에 관하여 수동에 빠지지 않고 오직 능동만으로 감정 이해의 타당성을 확보하게 됩니다. 아주 간단한 예로 '너 때문에 화났어.'라는 인식 대신, '나를 화나게 하는 너는 무슨 필연성이 있는 거야?'라며 묻고 배우게 됩니다. 우리가 이렇게 묻고 배우는 한 우리 모두는 행복과 평화를 누리게 됩니다.

제5부 정리 3: 감정의 자기이해

수동적인 감정은 우리가 그에 대해서 명석하고 판명한 관념을 형성하는 즉시 더 이상 수동적이 아니게 된다.

분석

이 정리에 근거하여 우리는 감정 인식의 수동과 능동의 구분이 서로 다른 두 개의 장르를 성립하지 않는다는 것을 확인할 수 있습니다. 감정을 수동적으로 인식하는 것과 별개로 능동적 감정 또는 감정 인식의 능동이 존재하지 않습니다. 감정이 자기 존재에 관하여 명석하고 판명한 이해를 형성하면, 그것이 곧 인식의 능동입니다. 그렇지 않으면 인식의 수동입니다. 엄격히 말해서 인식의 능동과 수동은 인식의 옳고 그름을 밝히기 위한 것입니다. 이 주제를 이미 『제3부』에서 다루었습니다.

제3부 정의 1: 영원무한의 필연성

어떤 원인에 의한 결과가 그 원인에 의해서 명석 판명하게 파악될 때, 나는 그 원인을 《타당한 원인》이라고 부른다. 어떤 원인에 의한 결과가 그 원인에 의해서 이해되지 않을 때, 나는 그 원인을 《타당하지 않은 원인》 또는 《부분적인 원인》이라고 부른다.

제3부 정의 2: 감정인식의 능동과 수동

나는 '능동적'이라고 말한다. 어떤 것이 우리 안에서 또는 밖에서 발생할 때, 그에 관하여 우리가 타당한 원인이 되면 우리는 능동적이다. 즉 (앞서 언급한 정의에 따라) 우리의 본성만으로 명석하고 판명하게 이해될 수 있는 어떤 일이 우리 내부나 외부에서 발생할 때, 우리는 능동적이다. 반면, 나는 '수동적'이라고 말한다. 어떤 것이 우리 안에서 발생하거나 우리의 본성에서 나올 때, 그에 관하여 우리가 부분적 원인에 불과하다면 우리는 수동적이다.

어떤 원인에 의한 결과가 그 원인에 의해서 명석판명하게 이해된다는 것은 인과의 필연성이 단 하나의 영원무한으로 분명하다는 것입니다. 영원무한의 필연성이란, 인과의 필연성이 명백하기 때문에 이 둘 사이에는 그 어떤 우연성이 존재하지 않는다는 사실을 뜻합니다. 이 개념을 시간의 지속으로 이해해서는 안 됩니다. 모든 공간과 시간을 일관하며 그 모든 것을 품에 안는 논리가 영원무한입니다. 그렇기 때문에 영원무한의 필연성으로 어떤 결과를 이해한다는 것은 그것의 존재에 관하여 어떠한 우연성도 없다는 사실을 분명히 합니다. 그러한 한에서 이 인식은 최고의 완전성이며, 이 인식을 형성하는 것은 최고의 능동성입니다.

이 인식으로 감정을 이해하면, 그것이 곧 감정 인식의 능동입니다. 이때 비로소 신의 존재가 감정을 통해서 분명히 드러납니다. 영원무한의 필연성은 전지전능입니다. 그 어떤 감정도 영원무한의 필연성으로 존재하는 신에 대적할 수 없으며, 영원무한의 필연성으로 이해되지 않는 감정도 절대적으로 존재하지 않습니다. 감정을 단 하나의 영원무한의 필연성으로 인식하는 데에 성공할 때, 신의 존재가 곧 감정이며 반대로 감정의 존재가 곧 신을 증명합니다. 감정의 존재를 결정한 원인은 오직 신 이외 절대적으로 없다는 것을 이해하기 때문에 그렇습니다. 그래서 신은 영원무한의 필연성으로 존재합니다.

제1부 정리 16: 감정의 영원한 필연성

신의 본성의 필연성으로부터 무한한 것이 무한한 방식으로 생겨난다. 즉, 무한한 지성의 범위 안에서 모든 것들이 무한한 방식으로 무한하게 생겨난다.

감정은 오직 신에 의해서 존재가 결정됩니다. 이 말은 몸의 순간 변화로서 감정은 절대적으로 자기 존재에 관하여 우연성이 아닌 필연성을 영원무한의 본성으로 갖는다는 뜻입니다. 이 사실이 분명하기 때문에 감정에 대한 개념을 형성하는 마음도 신의 본성을 어기며 존재할 수 없습니다. 마음이 감정에 대한 개념을 형성하는 순간, 이 개념 안에는 감정에 고유한 본성의 필연성도 함께 존재합니다. 그렇기 때문에 감정에 대한 개념을 형성하는 마음은 감정이 신에 의해서 존재하도록 결정되었다는 사실을 이해하는 능력을 가지고 있습니다. 이 능력이 '이성의 힘'입니다.

제2부 정리 47: 내 마음의 진실

인간의 마음은 신의 영원하며 무한한 본질에 대한 타당한 인식을 가지고 있다.

인간의 마음은 감정을 신적 본성의 필연성으로 인식하는 이성의 힘을 본래부터 가지고 있기 때문에 이 능력에 근거하여 감정을 이해할 수 있습니다. 이 이해가 능동입니다. 그렇기 때문에 마음이 이 능력을 사용하지 않고 감정에 대해서 이해했다고 하면, 그것의 실상은 이해가 아니라 인식의 오류입니다. 이 오류를 수동이라고 부릅니다. 마음은 생각하는 자신의 본성에 근거하여 이성의 힘을 본래부터 가지고 있습니다. 인식의 오류인 수동에 빠질 이유가 전혀 없습니다. 그럼에도 마음이 생각하지 않고 배우지 않으면, 뜻밖에 양태 상호간에 형성되는 감정의 유한성으로 인해 능동의 인식을 형성하지 못하는 것입니다.

스피노자는 이러한 맥락에서 인식의 오류와 수동을 언급함으로써 인식의 능동을 강조할 뿐입니다.

제3부 정리 3: 감정의 순수지선

마음의 능동적 상태는 오직 마음의 타당한 개념으로부터 나온다. 반면에 마음의 수동적 상태는 오직 타당하지 않은 개념에 의존하여 생각하는 것일 뿐이다.

다시 강조하지만, 수동과 능동은 서로 다른 두 개의 영역이 아닙니다. 감정을 신적 본성의 필연성으로 인식하는 것이 마음의 능동적 상태이며, 그렇지 않으면 마음의 수동적 상태입니다. 그리고 신적 본성의 필연성은 지금까지 논의했듯이 사실상 믿고 배우는 사랑입니다. 모든 감정은 자기 존재에 관하여 영원무한의 필연성을 본성으로 갖기 때문에 우리가 이 본성을 믿고 배워서 이해하는 한에서 그 어떤 감정도 불완전이나 악으로 존재하지 않습니다. 모든 감정은 영원의 필연성으로 순수지선이며, 신의 존재를 증명하는 성스러움 그 자체입니다.

감정의 진실이 이와 같다면, 감정 스스로 자신의 진실을 이해하는 것이 가장 완전한 것이며 최고의 능동입니다. 이것을 감정의 자기이해라고 정의합니다.

제4부 정리 28: 감정의 신 인식

감정의 마음에게 최고의 선(善)은 신에 대한 이해이며, 감정의 마음에게 최고의 덕은 신을 이해하는 것이다.

감정이 신을 이해한다는 것은 자기 존재의 필연성을 영원무한으로 이해하는 것입니다. 그러나 이 이해를 형성하지 못하면 감정은 자기 스스로 자신의 완전성 및 순수지선을 이해할 수 없게 됩니다. 더 나아가 자연의 모든 감정이 본래부터 최고의 완전성으로 순수지선 그 자체라는 사실을 알 수 없게 됩니다.

제4부 정리 33: 불안을 겪는 감정

감정이 자기 존재를 이해함에 있어서 자기이해가 아닌 외부 원인에 의존하는 하는 한에서 이 이해는 수동적인 것이며 그에 따라서 감정은 자신과 다른 감정에 대해서 본성상 서로 다르다고 생각하며, 동시에 그렇게 생각하는 감정 자신도 변하기 쉽고 불안정하다.

그러나 감정이 자기이해를 통해서 자신의 순수지선을 최고의 완전성으로 이해하면, 그 즉시 감정은 자신에 대해서 안심하게 됩니다. 뿐만 아니라 자연의 모든 감정에 대해서도 믿고 배울 수 있게 됩니다. 그 결과 다 좋은 세상 또는 다 좋은 감정의 세상을 누릴 수 있는 자유와 평화 그리고 행복을 확보할 수 있게 됩니다.

제4부 정리 35: 자기이해의 감정이 누리는 축복

감정이 이성의 지도를 따라서 자기이해로 살아가는 한에서 감정은 필연적으로 세상의 모든 감정과 본성에 관하여 언제나 일치한다.

제4부 정리 36: 감정으로 존재하는 신

덕을 추구하는 감정의 최고선은 모든 감정에 공통되며, 모든 감정들이 그것을 즐길 수 있다.

이처럼 감정을 믿고 배움으로써 행복과 평화를 누리는 세상은 인식의 오류 및 그로 인한 행위의 잘못에 대해서 비난하기 보다는 뉘우치며 용서하며 살아갑니다.

제4부 정리 46: 영원무한의 생명과 사랑

감정이 자기이해를 추구하는 이성을 따라서 살아갈 때, 감정은 자신이 할 수 있는 한에서 자신에 대한 증오, 분노, 경멸 등의 감정을 사랑과 관용으로 품에 안아준다.

우리가 이렇게 뉘우치며 용서하며 살아가는 한에서 우리는 서로를 향한 적개심과 분노로 살아가기 보다는 서로에게 감사하며 살아가게 됩니다. 나의 잘못에 대해서 주변의 모든 사람들이 비난 보다는 따뜻한 용서를 베푼다면, 나 역시 주변 사람들의 잘못에 대해서도 용서와 관용을 베풀게 됩니다. 그렇기 때문에 감정의 자기이해로 살아가는 세상은 서로에게 감사하며 살아가는 행복의 세상입니다.

제4부 정리 71: 서로에게 감사하는 삶

감정의 자기이해로 살아가는 자유인만이 서로에게 진실로 감사한다.

제4부 정리 72: 자유인의 아름다움

감정의 자기이해로 살아가는 자유인은 절대적으로 거짓을 행하지 않으며 언제나 순수지선의 믿음으로 행동한다.

학문의 시작은 지금 나 자신의 감정을 최고의 완전성 및 순수지선으로 배우는 것이지만, 그 끝은 다 좋은 세상입니다. 우리가 우리 자신의 감정을 믿고 배움으로써 무한한 방식으로 무한한 자연의 모든 감정을 영원의 필연성 안에서 순수지선으로 배우면 필연적으로 다 좋은 세상을 누리게 됩니다. 스피노자는 다음과 같이 보충을 첨가합니다.

제5부 정리 3의 보충

그러므로 우리들에게 정서가 더 잘 알려지면 알려질수록 정서는 우리들의 힘 안에 있으며 또한 정신은 그만큼 더 정서의 작용을 적게 받는다.

_스피노자 『에티카』, 제5부 정리 3, 보충.
/강영계 번역(p.335.).

그러므로 우리가 감정을 이해함에 있어서 그에 고유한 본성의 필연성을 인식하면 할수록 우리는 감정에 대한 확고부동한 믿음 안에서 감정을 배울 수 있게 됩니다. 스피노자에 의하면 이렇게 감정을 믿고 배우는 기쁨은 보다 더 작은 완전성이 보다 더 큰 완전성으로 이행하는 완전한 기쁨입니다. 이러한 배움의 기쁨 덕분에 우리는 국가와 사회를 떠나기 보다는 오히려 국가와 사회 안에서 서로를 향한 유대를 형성하며 함께 살아갈 수 있게 됩니다.

제4부 정리 73: 함께 묻고 배우는 천국

감정의 자기이해를 추구하는 이성으로 살아가는 사람은 오직 자기에게만 복종하는 고독 보다는 법체계를 따르며 살아가는 국가에서 더욱 자유롭다.

제5부　정리 4: 감정의 이성

우리가 명석하고 판명한 개념을 형성할 수 없는 몸의 변화는 없다.

분석

몸의 변화는 엄밀히 말해서 몸의 순간 변화이며, 이것은 사실상 '감정'입니다. 몸의 순간 변화와 동시에 마음은 그에 대한 개념을 형성합니다. 그런데 지금 우리가 분석하고 있는 정리는 몸의 순간 변화에 대한 개념(감정) 앞에 '명석하고 판명한'이라는 수식어를 둡니다. 이 수식어가 뜻하는 바가 무엇인지 이해해야 합니다. 우선 정답부터 먼저 제시하면, 그것은 '이성의 힘'입니다. 아래의 정리를 살펴보겠습니다.

> 제2부 정리 44: 믿고 배우는 직관과학
>
> 몸을 우연성으로 간주하는 것은 이성의 본성이 아니다. 이성은 모든 몸을 필연성으로 이해한다.

몸 또는 몸의 순간 변화를 우연성으로 인식하는 것과 필연성으로 인식하는 것, 이 둘 가운데 어느 것이 명석하고 판명한 것일까요? 우리 스스로 생각해 보면, 정답은 당연히 '필연성'입니다. 그렇기 때문에 몸의 순간 변화에 대한 개념을 형성하는 마음이 다시 자신의 개념(감정)에 나아가 그것의 본성을 필연성으로 확인하면, 그것이 곧 명석하고 판명한 자기이해입니다. 이 이해가 감정이 자신에 대해서 형성할 수 있는 타당한 인식이라는 것은 지극히 당연한 것입니다. 그런데 필연성의 핵심에는 당연히 '신'(실체)이 존재합니다. 왜냐하면 몸의 생김과 놀이를 관통하는 것은 단 하나의 실체로서 신이며, 오직 신에 의해서 몸은 생겨나며 놀이하는 변화를 겪기 때문입니다.

이 사실은 아래의 정리에 근거하여 명백합니다.

제1부 정리 15: 감정의 영원한 필연성

모든 것은 신 안에 있다. 신 없이는 어떤 것도 존재할 수 없으며 인식될 수도 없다.

제1부 정리 29: 성스러운 나의 감정

세상의 모든 것은 우연이 아니라 신의 본성에 고유한 영원무한의 필연성에 의하여 특정한 방식으로 존재하고 작동하도록 결정되어 있다.

제1부 정리 35: 감정의 영원한 필연성

우리가 신의 힘 안에 있는 것으로 생각하는 모든 것은 영원의 필연성으로 존재한다.

몸의 순간 변화는 우연성으로 이루어지지 않습니다. 이 사실은 우리의 경험에 비추어 보아도 분명합니다. 일례로 어떤 사람이 화를 내고 있을 때, 우리가 그이와 대화해 보면 화를 느낄 수밖에 없는 이유를 이해하게 됩니다. 혹은 우리 스스로 그이의 화에 대해서 공감을 할 수 없다고 해도 최소한 화를 느끼고 있는 그 사람에게는 자신에게 화를 느끼지 않으면 안 되는 필연적인 이유가 있습니다. 이 주제를 가장 확실하게 이해하는 방법은 우리 자신의 감정에 나아가 생각해 보는 것입니다. 과연 우리가 어떤 감정을 느낄 때 우연적으로 느끼는 것인지 아니면 필연성으로 느끼는 것인지 생각해 봐야 합니다.

그 어떤 감정도 우연이 아닌 필연으로 존재하고 있다는 사실, 그리고 이 사실을 우리가 진실로 이해하는 한에서 그 어떤 감정도 존재를 부정당할 수 없다는 사실, 더 나아가 최종적으로 그러한 한에서 모든 감정은 절대적인 완전성과 순수지선으로 존재하고 있다는 사실을 이해하는 것이 감정과학이 지향점입니다. 우리가 이렇게 감정에 대해서 이해할 때 우리는 매 순간 새로운 우리 자신의 감정을 비롯해서 자연의 모든 감정에 대해서 그에 고유한 필연성을 묻고 배울 수 있게 됩니다. 이 배움이 분명할 때 바로 앞에서 제시한 3개의 정리는 감정의 진실을 밝혀주는 것으로서 감정과학의 기초입니다. 이 기초를 확립하는 것이 '이성'입니다. 이성의 힘이 아니면 감정에 고유한 진실로서 신적 본성의 필연성을 이해할 수 없습니다.

이 이성의 능력에 근거하여 스피노자는 다음의 정리를 우리에게 제시합니다.

제2부 정리 47: 내 마음의 진실

인간의 마음은 신의 영원하며 무한한 본질에 대한 타당한 인식을 가지고 있다.

몸의 순간 변화에 대한 개념을 형성함으로써 감정으로 존재하는 마음은 자기 사유에 고유한 이성의 힘에 근거하여 자신이 느끼거나 경험함으로써 개념으로 형성하는 감정을 신적 본성의 필연성으로 이해할 수 있는 능력을 본래부터 가지고 있습니다. 그렇기 때문에 "인간의 마음은 신의 영원하며 무한한 본질에 대한 타당한 인식을 가지고 있다."라는 결론이 필연적으로 나옵니다. 그러나 이 진실과 별개로 현실적으로 인간의 마음은 몸의 순간 변화, 즉 자연을 구성하는 감정의 무한 양태에 대한 개념 가운데 하나로 존재합니다. 몸이 자신의 순간 변화를 통해서 감정의 무한 양태 가운데 하나로 존재하기 때문에 그 변화에 대한 개념을 형성하는 마음도 당연히 감정 개념의 무한 양태 가운데 하나로 존재합니다.

이 양태가 자기 안에 이성의 힘을 본질로 가지고 있기 때문에 이 양태는 자신을 이해함에 있어서 신적 본성의 필연성으로 인식한다는 것이 지금까지 논의한 핵심입니다. 그러나 바로 앞 문단에서 논의한 바와 같이 그것은 현실적으로 무한 양태의 개념 가운데 하나이며, 그러한 한에서 다른 양태들과의 관계 속에서 유한성을 갖습니다. 이러한 이유로 스피노자는 다음과 같은 정리를 진리의 필연성으로 제시합니다.

제4부 정리 2: 감정의 수동과 능동

우리는 자연의 한 부분인 한에서 수동적이다. 왜냐하면 자연의 모든 것은 자신과 다른 것에 의해서 파악되는 자연의 일부이기 때문이다.

어느 한 감정의 개념으로 존재하는 양태(인간의 마음)가 자기 본래의 능력에 근거하여 자기 존재의 필연성을 신적 본성의 필연성으로 인식하는 것과 별개로 양태라는 현실적 존재에 국한하여 보면, 이 양태는 얼마든지 유한성으로 자신을 이해할 수 있다는 것입니다. 그러한 한에서 이 이해는 수동적입니다. 왜냐하면 감정이 자신을 이해함에 있어서 자기 본래의 이성의 힘에 기초한 자기이해가 아니라 유한성에 자신을 가두고 그 한계 안에서 자기 존재의 필연성을 자기 아닌 다른 것(양태)에 의존하고 있기 때문입니다. 그러나 스피노자는 이것을 가지고 감정의 불완전성이나 결함을 주장하지 않습니다. 왜냐하면 감정이 무한 양태 가운데 하나로 존재한다는 현실에서 보면 그러한 이해 역시 필연적이기 때문입니다.

제3부 서문: 순수지선으로 존재하는 감정

자연 안에는 자연의 결함이나 잘못을 탓할 만한 어떠한 일도 발생하지 않는다. 왜냐하면 자연은 항상 동일하므로 그 자신의 힘과 행동 능력 또한 어디서나 동일하기 때문이다. 즉, 자연 안에서 생겨나는 모든 몸 그리고 그 모든 몸이 어느 한 형태에서 다른 형태로 변화하는 것은 자연의 법칙과 규정에 따라서 어디서나 항상 동일하다. 따라서 자연의 모든 몸의 생김과 그것의 변화에 고유한 본성을 이해하기 위해서는 자연의 법칙과 규정에 기초해야 한다. 그러므로 증오, 분노, 질투 등의 감정은 그 자체로 볼 때 이러한 자연의 필연성과 힘에 따라서 발생한다. 이러한 감정들은 자기 존재에 고유한 특정하고 명확한 원인으로 생겨나며, 그러한 한에서 그 각각의 원인으로 이해되어야 한다. 따라서 감정은 자연의 모든 것과 마찬가지로 우리가 반드시 알아야 하는 본성의 필연성으로 존재한다. 그렇기 때문에 이러한 본성을 사색하는 것만으로 우리는 기쁨을 누리게 된다.

그러나 이것을 근거로 감정의 수동적 인식을 당연한 것으로 주장해서는 안 됩니다. 왜냐하면 감정은 자기를 신적 본성의 필연성으로 인식하는 이성의 힘을 본래부터 자기 안에 가지고 있기 때문입니다. 이 힘에 근거하여 감정은 자신을 타당하게 이해해야 합니다. 왜냐하면 무엇보다도 이 이해가 감정에 고유한 진실이기 때문이며 더 나아가 오직 이 이해만이 감정 스스로 자신의 완전성과 순수지선을 확인함으로써 자신의 행복을 확인할 수 있는 유일한 방법이기 때문입니다. 스피노자가 위의 서문 마지막에서 "따라서 감정은 자연의 모든 것과 마찬가지로 우리가 반드시 알아야 하는 본성의 필연성으로 존재한다. 그렇기 때문에 이러한 본성을 사색하는 것만으로 우리는 기쁨을 누리게 된다."라고 말한 근본 이유입니다.

그러므로 다음의 정리는 지금 우리가 분석하고 있는 정리의 진리를 보증합니다.

제3부 정리 1: 욕망의 이성

우리의 마음은 특정한 경우에는 능동적으로 작용하며, 또 다른 특정한 경우에는 수동적으로 작용을 받는다. 우리의 마음이 타당한 개념을 가진 한에서 마음은 필연적으로 능동적인 작용을 하며, 우리의 마음이 타당하지 않은 개념을 가진 한에서 마음은 필연적으로 수동적인 작용을 받는다.

제3부 정리 58: 참된 기쁨과 욕망

수동적인 감정으로서 기쁨과 욕망 이외, 우리가 능동적으로 활동하는 한에서 우리 자신에게 관계하는 기쁨과 욕망의 감정도 존재한다.

끝으로, 계속해서 다루었듯이, 우리가 반드시 오해하면 안 되는 것은 서로 다른 두 가지 감정 이해의 범주가 있는 것이 아니라는 사실입니다. 능동적인 감정과 함께 수동적인 감정도 존재하는 것이 아닙니다. 몸의 순간 변화에 대한 개념을 형성함으로서 현실적으로 존재하는 감정(마음)이 자신을 이해함에 있어서 자기 본래의 능력인 이성의 힘에 근거하여 자기 존재의 필연성을 신적 본성의 필연성으로 인식하면 그것이 곧 능동적인 감정이며, 반대로 이 인식이 분명하지 않으면 그것이 곧 수동적인 감정입니다. 이러한 맥락에서 다음의 주석을 참고할 필요가 있습니다.

모든 충동이나 욕망은 타당하지 못한 관념에서 생기는 경우에 한해서만 수동이다. 그러나 그것들은 타당한 관념에 의해서 환기되거나 생길 때 덕으로 여겨진다. 왜냐하면 우리로 하여금 어떤 행동을 하도록 결정하는 모든 욕망은 타당한 관념과 아울러 타당하지 못한 관념에서 생길 수도 있기 때문이다.

_스피노자 『에티카』, 제5부 정리 4, 주석.
/강영계 번역(p.337.).

스피노자는 '욕망'을 타당한 관념과 타당하지 못한 관념으로 나누어 설명하고 있습니다. 타당한 관념에서 나오는 욕망을 퇴계(退溪)는 『성학십도』(聖學十圖)에서 '리욕'(理欲)[제6도 심통성정도 하도(下圖)]으로 정의합니다. 욕망이 자신을 이해함에 있어서 본성에 고유한 필연성에 기초하는 것이 이성적 욕망, 즉 리욕(理欲)입니다. 이 지점에서 우리는 감정과학의 진실이 동양과 서양에 교차한다는 사실을 확인할 수 있습니다. 욕망은 자기 본성의 필연성을 인식하는 능력을 본래부터 가지고 있으며, 그러한 한에서 욕망의 본질은 이성 그 자체입니다.

욕망이 자기 본성의 필연성을 인식한다는 것은 사실상 영원무한의 생명과 사랑을 자기 존재의 필연성으로 이해한다는 것입니다. 왜냐하면 몸-생김의 진실이 엄마아빠의 영원무한한 생명과 사랑이기 때문입니다. 이 진실은 동시에 몸-놀이의 진실입니다. 생김의 몸으로 놀이하기 때문입니다. 몸-놀이 또는 감정은 절대적으로 영원무한의 생명과 사랑을 본성의 필연성으로 갖습니다. 이 필연성을 우연적으로 어기며 존재하는 감정은 절대적으로 없습니다. 이 진실 안에서 무한한 방식으로 무한한 욕망 및 그에 기초한 감정이 생겨납니다. 따라서 우리가 감정에 대한 능동적 인식을 확립하면 할수록 우리의 삶은 생명과 사랑만으로 가득합니다.

제5부 정리 5: 가장 강렬한 감정

우리가 어떤 대상에 대해서 감정을 느낄 때, 만약 우리가 그 대상을 이해함에 있어서 그것의 외부적인 영향이나 다른 요인에 대한 고려 없이 단순히 그 대상만을 생각한다면, 그에 대한 우리의 감정은, 다른 조건이 동일하다고 가정했을 때, 그것을 필연적인 것이나 가능한 것 또는 우연적인 것으로 생각하며 느끼는 다른 어떤 감정보다도 강하다.

분석

이 정리는 다음에 이어지는 「정리 6」을 위한 것입니다. 스피노자에 의하면, 인간의 마음은 어떤 대상에 대해서 네 가지로 생각을 형성할 수 있으며 그에 따라서 그 대상에 대한 감정의 세기도 달라질 수 있다고 합니다. 우선, 필연적인 것, 가능한 것, 그리고 우연적인 것이 무엇인지 살펴보겠습니다.

> 제1부 정의 7: 감정의 자유
>
> 어떤 것이 자유롭다고 말할 수 있는 것은 그것이 오직 자기 본성의 필연성만을 따라서 존재하고 행동하도록 결정되기 때문이다. 반대로 어떤 것이 필연적이라거나 보다 정확한 의미에서 강제된다고 말할 수 있는 이유는 그 어떤 것이 자기 외부의 어떤 것에 의해서 결정됨으로써 고정적이며 한정적인 방식으로 존재하고 행동하기 때문이다.

제4부 정의 3: 우연성

우리가 개별적인 감정의 본질에 국한하여 생각할 경우, 그것의 존재를 '필연적으로' 긍정하거나 부정하는 그 어떤 것도 찾을 수 없는 한에서, 나는 그 개별적인 감정을 '우연한 것'이라고 부른다.

제4부 정의 4: 가능성

개별적인 감정을 생기게 하는 원인에 대하여 생각할 경우, 우리가 그 원인이 그 감정의 존재를 결정했는지 여부를 확실하게 알 수 없을 때, 나는 그 감정을 가능한 것이라고 부른다.

필연성이란, 어떤 대상의 존재에 관하여 그것을 결정하는 외부 원인이 있다고 생각하는 것입니다. (이 경우 필연성은 영원무한의 필연성이 아니라 강제된다는 뜻입니다.) 우연성이란, 어떤 대상의 존재를 필연적으로 긍정하거나 부정하는 원인을 생각할 수 없을 때를 뜻합니다. 가능성이란, 필연성에 반대되는 것으로서 어떤 대상의 존재에 관하여 우리가 그것을 결정하는 원인을 확실하게 알 수 없을 때를 뜻합니다. 결국 이 세 가지는 어떤 대상의 존재에 관하여 그것의 존재를 결정하는 원인을 외부에서 찾는 것이며, 그에 따라서 그 외부 원인에 대한 인식을 세 가지로 정리합니다. 우리가 어떤 대상의 존재를 3 가지 방식으로 생각하게 되면, 그에 따라서 감정의 세기도 달리합니다.

그런데 스피노자는 위 세 가지 이외 한 가지를 더 추가합니다. "그것의 외부적인 영향이나 다른 요인에 대한 고려 없이 단순히 그 대상만을 생각한다면"이 그것입니다. 필연적, 우연적, 그리고 가능적은 어떤 대상을 생각함에 있어서 원인을 외부에서 찾는 것입니다. 반면 지금 논의하는 것은 어떤 대상을 존재하게 하는 원인을 애초부터 고려하지 않습니다. '단순히 대상 사물만을 생각하는 것'입니다. 우리의 마음이 어떤 대상에 대해서 이와 같이 생각하면, 그 대상에 대한 우리의 감정은 나머지 세 가지인 '필연적, 우연적, 그리고 가능적'인 것이라고 생각하는 것에 대한 감정 보다 압도적으로 강하다고 합니다.

이 주제는 우리에게 매우 어렵게 다가오지만, 사실은 쉽게 이해할 수 있습니다. 가장 대표적으로 여러 가지 중독에 대해서 생각해 봅시다. 알코올이나 도박 또는 약물 중독은 인간의 마음이 단순히 그 대상만을 생각하며 그에 대한 감정을 느끼기 때문에 발생합니다. 중독 대상에 고유한 본성 및 그것이 우리 몸에 가져오는 변화와 불행에 대해서 전혀 생각하지 않고, 단순히 그 대상만을 생각하며 그것을 느끼는 감정에만 몰입하게 되면, 끝내 중독에 빠지게 됩니다. 쉽게 말해서 중독 대상 및 그에 대한 감정에 대해서 인과의 필연성을 생각하기 보다는 단순히 그 대상에 대한 생각만으로 느끼는 감정에 몰입하면 끝내 중독에 빠지게 됩니다.

중독 같은 감정의 질환 이외 일상에서 우리가 느끼거나 경험하는 감정을 가지고 생각해 보면 이 주제를 쉽게 이해할 수 있습니다. 가장 대표적으로 화를 느낄 때를 생각해 봅시다. 우리가 어떤 대상에 대해서 화를 느끼고 있다고 생각해 봅시다. 이때 우리가 그 대상이 어떠한 필연성으로 지금 나에게 화를 느끼게 하는지 원인을 파악하지 않고, 단순히 그 대상만을 생각하며 그에 따른 화에만 몰입하게 된다면, 우리는 더 이상 생각하지 않는 불사(不思)의 비극에 빠지게 됩니다. 이 비극으로부터 우리는 더 이상 화의 대상에 대해서 배우지 않으며 급기야 그 대상을 제거하기 급급하게 됩니다. 자기의 감정과 대상에 고유한 인과의 필연성을 이해하지 않습니다.

스피노자는 어떤 대상에 대한 네 가지 생각과 그로 인해 느낄 수 있는 네 가지 감정의 양태를 정리합니다. 이러한 논의의 목적은 우리가 느끼거나 경험할 수 있는 감정 중에서 가장 강력한 것이 무엇인지 밝히는 데에 있습니다. 참고로 필연성, 우연성, 그리고 가능성과 관련된 감정에 대해서는 스피노자 윤리학 연구총서 제4권 『감정의 예속과 자유』에서 자세히 논의하였습니다. 여기에서는 대상에 대한 단순한 생각이 무엇인지, 그리고 그러한 생각으로 인해 느낄 수 있는 감정의 강도가 얼마나 강력한지 논의하는데 집중하였습니다. 우리가 감정의 세기와 관련하여 생각할 때, 이 네 가지 종류를 초월하는 것은 없습니다. 이에 기초하여 다음 정리를 분석하겠습니다.

제5부 정리 6: 감정의 이성에 고유한 힘

마음이 모든 것을 필연적인 것으로 이해할수록 감정에 대한 힘이 강해지며, 감정으로부터 영향을 덜 받는다.

분석

바로 앞의 「정리 5」는 인간이 느끼거나 경험할 수 있는 감정 중에서 가장 센 것이 무엇인지 밝혔습니다. 우리의 마음이 어떤 대상에 대해서 느낄 때 그것의 존재에 관하여 인과의 필연성을 파악하지 않고 단순히 그것의 존재만을 생각하고 있다면, 그에 대한 감정은 가장 강렬하다고 했습니다. 그러나 이렇게 강력한 감정이라고 하여도 그 감정을 느끼며(그 감정에 대한 개념을 형성하며) 존재하는 인간의 마음(감정)이 다시 감정의 대상에 나아가 그 존재에 고유한 필연성을 인식하면, 그 즉시 인간의 마음은 가장 강력한 것으로 간주된 감정을 통제하거나 제어할 수 있게 됩니다. 이 말은 대상에 대한 참다운 이해와 함께 대상에 대한 감정에 대해서도 참다운 이해를 형성하게 된다는 뜻입니다.

이 능력이 인간 마음에 고유한 이성의 힘 또는 감정에 고유한 이성의 힘입니다. 이 힘이 왜 중요할까요? 스피노자의 주석에서 답을 찾을 수 있습니다.

말하자면 사물이 필연적이라고 하는 이 인식이 우리가 더 명백하게 그리고 한층 더 생생하게 표상하는 사물에 확장되면 될수록 정서에 대한 정신의 힘은 더욱더 크며, 이것은 경험에 의해서도 증명된다. 왜냐하면 상실된 선에 대한 슬픔은 그 선을 잃어버린 사람이 어떤 식으로도 그 선을 보존할 수 없다고 생각하는 순간 가벼워진다는 것을 우리들이 알기 때문이다.

_스피노자 『에티카』, 제5부 정리 6, 주석.
/강영계 번역(p.338.).

우리가 어떤 대상에 대해서 최고의 강도로 감정을 느낄 때, 감정으로 존재하는 마음이 그 대상을 인과의 필연성으로 이해하면, 그 즉시 그에 대한 감정은 우리를 불행으로 끌고 가는 것이 아니라 자유와 행복으로 인도합니다. 마음에 고유한 이성의 힘 또는 실질적으로 감정이 본래부터 가지고 있는 이성의 힘이 중요한 근본적인 이유입니다. 감정을 느끼는 마음이 어느 정도의 감정을 느끼거나 경험하고 있는지 전혀 상관없이 감정의 대상인 사물에 나아가 그 존재에 고유한 본성의 필연성을 인식하면, 그 즉시 마음은 감정을 조절하거나 통제할 수 있는 힘을 확보하게 됩니다. 이는 궁극적으로 감정에 대한 타당한 인식을 형성하게 됩니다.

요약하면, 감정이 자신의 대상에 대해서는 느끼는 자신의 감정을 이해한다는 것은 대상 그 자체의 본성을 타당하게 이해한다는 것이며, 이 이해로부터 감정은 그 대상에 대한 자신의 감정에 대해서 타당하게 이해하게 됩니다. 이 이해로부터 감정은 자신을 통제할 수 있게 되는데, 이는 실질적으로 자신과 그 대상을 순수지선으로 이해한다는 뜻입니다. 끝으로 지금 우리가 논의하고 있는 필연성에 대해서 분명히 이해할 필요가 있습니다. 여기에서 말하는 필연성은 『제

1부 』의 「정의 7」에 있는 '필연'이 아닙니다.

제1부 정의 7: 감정의 자유

어떤 것이 자유롭다고 말할 수 있는 것은 그것이 오직 자기 본성의 필연성만을 따라서 존재하고 행동하도록 결정되기 때문이다. 반대로 어떤 것이 필연적이라거나 보다 정확한 의미에서 강제된다고 말할 수 있는 이유는 그 어떤 것이 자기 외부의 어떤 것에 의해서 결정됨으로써 고정적이며 한정적인 방식으로 존재하고 행동하기 때문이다.

마음이 모든 것을 필연적인 것으로 이해한다고 할 때 여기에서 '필연'은 신적 본성의 필연성을 뜻합니다. 즉, 몸-생김에 고유한 본성으로서 영원무한의 필연성입니다. 이 진실을 이해할 때 감정은 몸-놀이에 고유한 본성에 근거하여 자기 존재의 진실을 영원무한의 필연성으로 이해합니다.

제1부 정리 29: 성스러운 나의 감정

세상의 모든 것은 우연이 아니라 신의 본성에 고유한 영원무한의 필연성에 의하여 특정한 방식으로 존재하고 작동하도록 결정되어 있다.

제1부 정리 30: 감정의 자기이해

지성(intellect)은 유한한 것이든 무한한 것이든 근본적으로 신의 속성과 그것의 변화로서 양태를 이해해야 하며, 그 외의 것은 이해하지 않는다.

감정이 자신의 대상을 필연성으로 인식한다는 것은 그것이 "신의 본성에 고유한 영원무한의 필연성에 의하여 특정한 방식으로 존재하고 작동하도록 결정되어 있다."는 것을 이해한다는 것입니다. 오직 이 이해만이 어떤 대상을 느끼는 감정을 통제하고 조절할 수 있습니다. 그렇기 때문에 스피노자는 "지성(intellect)은 유한한 것이든 무한한 것이든 근본적으로 신의 속성과 그것의 변화로서 양태를 이해해야 하며"라고 주장합니다. 이 인식이 분명할 때 감정의 이성은 자신의 대상에 대해서 다음과 같이 타당하게 이해하게 됩니다.

제1부 정리 28: 성스러운 나의 감정

모든 개별적인 것, 즉 유한하고 한정된 양태로 존재하는 모든 것은 유한하고 한정된 양태로 존재하는 또 다른 원인에 의하여 존재하고 행동하도록 결정된다. 그리고 이 원인 또한 유한하고 한정된 양태로 존재하는 또 다른 원인에 의하여 존재하고 행동하도록 결정된다. 이렇게 무한히 진행한다.

모든 것은 신적 본성의 필연성에 의해서 존재하도록 결정되어 있기 때문에 어떤 구체적인 감정의 대상에 나아가 그에 고유한 존재의 필연성을 인식하면 그와 동시에 그 대상에 대한 감정은 우리를 불행이 아닌 행복으로 인도합니다. 존재하는 모든 것을 최고의 완전성 또는 순수지선으로 인식하며, 그러한 한에서 그에 대한 감정도 당연히 최고의 완전성 또는 순수지선으로 자신을 인식합니다. 이처럼 감정의 대상 및 감정 그 자체에 대한 참다운 인식을 확인하는 것이 스피노자의 윤리학입니다. 참고로 공자(孔子)의 감정과학을 계승하고 정립한 문서인 『대학』(大學)은 스피노자의 인식론을 격물치지(格物致知)로 설명했습니다. 자세한 논의는 유교문화 감정과학 연구총서 제2권 『대학의 감정과학』 참조.

제5부 정리 7: 감정의 영원무한

이성으로부터 생겨나거나 이성에 기원하는 감정은 만약 우리가 시간을 고려해 본다면 존재하지 않는다고 생각하는 사물에 대해서 느끼는 감정 보다 더 강하다.

분석

어떤 감정이 이성으로부터 생겨나거나 이성에 기원한다는 것은 실질적으로 감정의 자기이해입니다. 우리가 어떤 대상에 대해서 감정을 느낀다는 것은 우리의 몸과 그 대상의 몸이 교차한 결과 우리 몸이 겪게 되는 순간 변화이며 동시에 그에 대한 마음의 개념입니다. 이 개념에 근거하여 우리의 마음은 자신과 자신의 몸 그리고 외부 대상의 몸이 존재한다는 것을 확인합니다. 이때 우리의 마음(감정)은 대상 사물(몸)에 대해서 여러 가지 생각을 할 수 있고 그에 상응하는 감정을 느끼게 됩니다[이 주제는 정리 5와 6에서 자세히 논의하였습니다.]. 그러나 우리의 마음(감정)이 자신의 몸과 대상의 몸을 생김(존재)에 관하여 영원무한의 필연성으로 인식하는 한에서 이 이해를 형성하는 우리의 마음(감정)은 자신(감정)의 완전성 및 순수지선 안에서 모든 몸을 그와 동일한 진실로 이해합니다. 이 이해가 감정의 자기이해이며, 이성의 힘입니다.

이 이해로부터 다음과 같은 결론이 영원의 필연성으로 연역됩니다.

자신의 몸과 외부 대상의 몸을 영원무한의 필연성으로 이해하는 감정은 자기 존재에 관하여도 당연히 영원무한의 필연성으로 존재합니다.

이러한 방식으로 자기 존재의 진실을 이해하는 감정은 자기 본래의 진실로서 신적 본성의 필연성을 이해하는 성스러운 것입니다. 본래부터 감정은 신적 본성의 필연성 안에서 영원무한의 필연성으로 존재하는 것입니다. 그렇기 때문에 감정은 자기에게 고유한 이성의 힘에 근거하여 자기 본래의 진실을 명백하게 이해합니다. 그러나 감정은 얼마든지 자기 존재와 자신이 느끼는 감정의 대상에 대해서 네 가지 방식으로 생각할 수 있으며, 그에 따라서 크게 네 가지 방식으로 감정을 느낄 수 있습니다. (바로 앞 정리 참조.) 이러한 경우에도 불구하고 감정이 자기 존재 및 자신이 느끼는 대상을 이성의 힘에 근거하여 이해하는 한에서 감정은 절대적으로 자신에 대한 완전한 통제와 조절의 권능을 갖습니다.

이 주제를 시간과 관련하여 고찰하는 것이 이번 정리입니다. 이성의 힘에 근거하여 감정의 대상을 이해하는 것 이외, 네 가지 방식으로 생각한다는 것은 '단순히 존재한다는 사실만으로 고찰하는 것', '필연적인 것'으로, '우연적인 것'으로, 그리고 '가능적인 것'이 있습니다. 그러나 이번 정리는 감정의 대상을 시간의 지속성으로 생각하는 경우 그에 대한 감정을 논의합니다. 감정이 어떤 대상에 대해서 감정을 느낄 때 그 대상을 시간의 지속성으로 생각한다는 것은 어느 시점에 존재하다가 다른 어느 시점에 존재하지 않는다고 생각하는 것입니다. 물론 이 반대의 경우도 성립합니다. 이런 경우의 감정은 당연히 그 대상과 함께 존재하다가 사라지게 됩니다. 그 반대의 경우도 마찬가지입니다.

이제 우리는 감정이 느끼는 대상의 사물(몸)을 시간과 관련하여 두 가지 방식으로 이해할 수 있다는 것을 확인할 수 있습니다. 하나는 이성에 근거하여 사물의 존재를 영원무한의 필연성으로 인식하는 것이며, 다른 하나는 시간의 지속에 근거하여 일시적인 것으로 인식하는 것입니다. 그리고 이 두 가지 인식으로부터 당연히 서로 다른 감정을 느끼거나 경험하게 될 것입니다. 감정이 자신의 대상에 대해서 생각할 때 이성에 근거하여 영원무한의 필연성으로 그것의 존재를 확인하면, 당연히 그에 대한 감정은 영원무한의 필연성으로 존재합니다. 반면, 시간의 지속에 근거하여 일시적인 것으로 존재를 확인한다면, 당연히 그에 대한 감정은 일시적으로 존재합니다.

위 두 가지 감정 가운데 어느 감정이 더 강할까요? 당연히 정답은 지금 우리가 분석하고 있는 정리입니다.

> **이성으로부터 생겨나거나 이성에 기원하는 감정은 만약 우리가 시간을 고려해 본다면 존재하지 않는다고 생각하는 사물에 대해서 느끼는 감정 보다 더 강하다.**

쉬운 이해를 위해서 다음과 같은 예시를 제시할 수 있습니다. 사랑하는 부모님이나 형제자매 또는 소중한 친구가 갑자기 죽었다고 상상해 봅시다. 우리의 감정은 어떻습니까? 당연히 극도로 괴로운 슬픔을 느끼게 됩니다. 이때 우리는 두 가지 방식으로 생각할 수 있습니다.

⑴ 영원무한의 필연성 아래에서.

: 모든 것은 신적 본성의 필연성에 의해서 존재하도록 결정되어 있기 때문에 우리 자신의 몸을 비롯해서 세상 모든 몸은 신에 고유한 본질로서 영원무한을 존재에 고유한 필연적 본성으로 갖습니다. 이 사실을 이해하는 것이 이성의 힘입니다. 극도의 슬픔 속에 있는 우리의 감정이 이 사실을 이해하면, 비록 사랑하는 가족과 소중한 친구를 눈으로 볼 수 없다고 해도 감정은 그들의 존재에 고유한 영원무한을 이해하기 때문에 그러한 한에서 자신의 슬픔을 치유할 수 있게 됩니다.

⑵ 시간의 유한한 지속에 갇혀서.

: 모든 몸에 고유한 그 자체의 진실로서 영원무한의 생명과 사랑을 우리가 이해하지 못하면 인생 자체가 허무함으로 왜곡됩니다. 사랑하는 가족과 소중한 친구를 더 이상 눈으로 볼 수 없다는 생각에 몰입한 결과 인생을 저주하는 비극에 빠질 수도 있습니다. 이때 극도의 슬픔을 겪고 있는 감정은 자신을 스스로 구제할 수 없게 됩니다. 우울증을 겪을 수 있으며, 심지어 자살할 수도 있습니다. 자신을 구원할 수 없게 됨으로써 자포자기의 비극으로 살아가는 것은 우리가 추구하는 삶의 행복이 아닙니다.

이상, 감정이 느끼는 대상에 대한 인식에 따라서 겪게 되는 감정의 행복과 불행에 대해서 살펴보았습니다. 그러나 우리에게는 확고부동한 문제해결의 방법이 있습니다. 감정이 자기에 고유한 이성의 힘에 근거하여 자신과 대상에 대해서 생각하고 배우는 한에서 이로부터 나오는 감정은 절대적이며 그 어떤 감정도 이 감정에 대적할 수 없습니다. 시간의 유한한 지속에 갇힌 감정은 이성의 힘에서 나오는 감정 앞에서 완전히 무기력합니다. 그러므로 우리가 감정의 자기이해 또는 이성의 힘에 근거한 감정의 자유로 살아가는 한에서 우리는 절대적인 자유와 행복을 확보할 수 있는 권능을 확보합니다.

제5부 정리 8: 인과의 필연성

어느 한 감정이 동시에 여러 가지 원인에 의해 유발될수록 그 감정은 그만큼 더 강하다.

분석

원인과 결과의 필연성에 입각하여 어떤 결과를 산출하는 원인이 많으면 많을수록 그에 따른 결과는 그렇지 않은 결과보다 당연히 강합니다. 아주 간단하게 우리 몸으로 이 정리를 쉽게 이해할 수 있습니다. 우리 몸의 존재를 인과의 필연으로 이해하면, 원인으로서 엄마 아빠의 몸이 영원무한으로 존재합니다. 이 모든 원인이 동시에 지금 나의 존재를 결정합니다. 이 사실로부터 우리 몸은 영원무한으로 존재한다는 사실이 밝혀지며, 더 나아가 이 사실로부터 몸의 순간 변화인 감정도 영원무한으로 존재한다는 사실이 분명합니다. 따라서 그 어떤 것도 이 사실을 부정할 수 없습니다.

이 정리는 다음에 이어지는 정리를 위한 기초입니다.

제5부 정리 9: 묻고 배우는 감정의 이성

어느 한 감정이 여러 가지 다른 원인들에 의해서 생겨났을 때 마음이 그 감정을 이해함에 있어서 그 모든 원인들을 동시에 이해한다면, 이 감정은 우리에게 덜 해로우며 그만큼 우리는 덜 고통 받게 된다. 따라서 우리는 각각의 개별 원인으로부터도 영향을 덜 받게 된다. 그러나 단지 하나의 원인 또는 소수의 원인에 의해서 감정이 생겨났을 때 그것이 비록 여러 원인에 의해서 생겨나는 감정과 동일한 힘을 갖는다고 하여도 우리가 이 감정으로부터 영향을 받는 한에서 우리는 그 감정으로부터 보다 더 큰 고통을 느끼게 되며 보다 더 큰 영향을 받을 수 있다.

분석

이 정리는 앞의 「정리 8」에 기초합니다.

제5부 정리 8: 인과의 필연성

어느 한 감정이 동시에 여러 가지 원인에 의해 유발될수록 그 감정은 그만큼 더 강하다.

어느 한 감정이 여러 원인에 의해서 존재하도로 결정되었다면,

이 감정의 세기는 원인의 수에 비례합니다. 그러나 감정을 느끼는 마음(감정)이 인과의 필연성을 이해하는 이성의 힘에 근거하여 자기 존재에 내재한 원인들을 파악하면 전혀 뜻밖의 결과가 나옵니다. 오히려 원인의 수만큼 감정의 세기는 약화됩니다. 이 주제를 다음의 정리와 함께 이해해 보겠습니다.

제1부 정리 28: 성스러운 나의 감정

모든 개별적인 것, 즉 유한하고 한정된 양태로 존재하는 모든 것은 유한하고 한정된 양태로 존재하는 또 다른 원인에 의하여 존재하고 행동하도록 결정된다. 그리고 이 원인 또한 유한하고 한정된 양태로 존재하는 또 다른 원인에 의하여 존재하고 행동하도록 결정된다. 이렇게 무한히 진행한다.

마음이 어떤 감정을 느낄 때 감정에 고유한 인과의 필연성을 단순히 한 개가 아닌 무한으로 파악하게 되면, 그 마음은 무한으로 존재합니다. 그 결과 마음은 감정을 영원의 필연성으로 이해하게 됩니다. 왜냐하면 마음이 어떤 감정을 인과의 무한 연쇄로 이해하는 한에서 마음은 그 감정에서 절대적으로 우연성을 용납하지 않기 때문입니다. 우리가 이 방식으로 감정을 이해하면 우리는 감정 안에서 자유롭게 됩니다. 우리 자신의 감정이기 때문에 감정에 관한 한 우리는 주인으로 존재하게 됩니다. 감정의 진실을 따라서 감정대로 살아가게 됩니다.

인과의 무한 연쇄는 실질적으로 영원의 필연성입니다. 마음이 몸의 순간 변화에 대한 개념을 형성함으로써 감정으로 존재할 때, 마음(감정)이 자신과 그 대상의 존재를 인과의 무한 연쇄로 이해하면, 거기에는 그 어떤 우연성이 존재하지 않게 되며 그러한 한에서 마음은 절대적으로 지금 존재하는 감정 및 그 대상을 두고 지금과 다른 방식으로 존재하기를 의지하지 않습니다. 더 나아가 자신과 대상을 영원무한의 필연성으로 인식하는 한에서 자신과 대상 존재를 자체를 신적 본성의 필연성 또는 완전성으로 이해하게 됩니다. 왜냐하면 존재 자체의 진실이 영원무한의 필연성이기 때문입니다. 따라서 감정이 이성의 힘에 근거하여 자기의 진실을 이해하는 한에서 감정은 자신의 진실을 영원무한의 생명과 사랑으로 이해합니다.

그러므로 이렇게 존재하는 감정이 우리에게 최고의 행복과 평화를 확립한다는 것은 지극히 당연한 것입니다. 스피노자가 "어느 한 감정이 여러 가지 다른 원인들에 의해서 생겨났을 때 마음이 그 감정을 이해함에 있어서 그 모든 원인들을 동시에 이해한다면, 이 감정은 우리에게 덜 해로우며 그만큼 우리는 덜 고통 받게 된다. 따라서 우리는 각각의 개별 원인으로부터도 영향을 덜 받게 된다."라고 정리한 이유입니다. 그러나 반대로 비록 감정을 생기게 한 원인이 하나 내지는 소수라고 하여도 감정 스스로 그에 대한 타당한 인식을 형성하지 못하면, 그 즉시 우리가 감정에 예속되는 것은 당연합니다. 따라서 감정의 자기이해만이 감정의 행복을 위한 유일한 방법입니다.

제5부 정리 10: 감정의 이성에 고유한 힘

우리가 우리의 본성에 반하는 감정으로부터 공격받지 않는 한, 우리는 몸의 감정을 지성의 순서에 따라 배열하고 연관시키는 능력을 가진다.

분석

스피노자는 자신의 저서 『에티카』를 통해서 몸의 순간 변화인 감정이 영원무한의 필연성을 본성으로 갖는다는 사실을 우리에게 전하려고 합니다. 더 나아가 이에 근거하여 인간의 윤리와 행복을 정의하려고 합니다. 몸에 고유한 생김 그 자체의 진실은 영원무한의 필연성입니다. 이 사실을 우리 자신의 몸에 나아가 이해하면, 사실상 영원무한의 생명과 사랑이 몸-생김에 결정된 진리의 필연성입니다. 영원무한의 필연성 또는 영원무한의 생명과 사랑을 스피노자는 '신'으로 정의합니다. 왜냐하면 신은 단 하나의 실체로서 그 어떤 우연성을 본질로 갖지 않으며, 동시에 오직 이 본성의 생명으로 자연의 모든 몸을 낳아주기 때문입니다.

몸-생김의 진실이 신의 본성 안에 존재할 뿐만 아니라 오직 신적 본성의 필연성만을 따른다는 사실로부터 신에 의해서 존재가 결정된 몸은 당연히 자신의 운동 또는 활동에 관하여도 신적 본성의 필연성만을 따르도록 영원의 필연성으로 결정되어 있습니다. 이 사실로부터 몸이 발생시키는 모든 순간 변화가 영원무한의 필연성 안에 있다는 결론이 필연적으로 나옵니다. 즉, 몸의 순간 변화는 영원으로부터 영원에 이르는 영원성으로 영원무한의 생명과 사랑을 자기 본성의 필연성으로 갖습니다.

위와 같이 몸-생김과 몸-놀이에 일관하는 논리로서 신적 본성의 필연성(영원무한의 생명과 사랑)이 무엇인지 확인하고 나면, 우리가 몸으로 살아가면서 느끼거나 경험하게 되는 몸의 무한한 순간 변화에 대한 올바른 인식이 무엇인지 분명하게 이해할 수 있습니다. 우리는 우리 각자의 몸으로 살아가며 자기 몸의 순간 변화를 무한한 방식으로 느낍니다. 같은 방식으로 우리는 자연의 모든 몸을 통해서 무한한 방식으로 무한한 몸의 순간 변화를 경험합니다. 이 경우 감정의 무한 양태들은 유한의 관계를 맺게 됩니다. 그 결과 감정은 얼마든지 자기 보다 더 강한 감정에 의해서 압도되며, 그만큼 감정에 대한 타당한 인식을 형성하기 어렵게 됩니다.

제4부 정리 2: 감정의 수동과 능동

우리는 자연의 한 부분인 한에서 수동적이다. 왜냐하면 자연의 모든 것은 자신과 다른 것에 의해서 파악되는 자연의 일부이기 때문이다.

제4부 정리 3: 감정의 유한성

인간이 자기 존재를 지속하는 힘은 제한되어 있으며 외부 원인의 힘에 의하여 무한히 압도된다.

제4부 정리 4: 묻고 배우는 감정의 이성

인간이 자연의 일부로 존재하지 않는다는 것은 불가능하며, 그렇기 때문에 자기 몸의 변화를 오직 자기 몸의 본성으로 이해함으로써 그 자신이 타당한 원인으로 존재하는 것도 불가능하다.

자연 안에서 우리 자신의 감정은 감정의 무한 양태 가운데 하나로 존재합니다. 그렇기 때문에 우리의 감정은 얼마든지 다른 감정에 의해서 압도될 수 있으며, 그에 따라서 감정에 대한 타당한 인식을 갖기 어려운 지경에 처하기도 합니다. 이때 얼마든지 우리는 우리의 감정을 압도하는 또 다른 감정의 양태를 악으로 규정할 수 있습니다. 또한 얼마든지 우리 자신의 감정에 의해서 우리 자신이 압도될 수 있기 때문에(예를 들어 자신에 대한 분노로 인해 자살하는 사람을 상상해 봅시다.) 우리는 얼마든지 우리 자신의 감정에 대해서도 악으로 규정할 수 있습니다.

제4부 정리 27: 감정의 선악 판단

감정은 자기이해에 도움이 되는 것을 확실하게 선(善)으로 이해하며, 반대로 자기이해에 방해되는 것을 확실하게 악(惡)으로 이해한다. 이 이해 이외에 감정은 그 어떤 것에 대해서도 선악(善惡)을 확실하게 판단할 수 없다.

위의 정리에 근거하여 생각해 보면, 선악(善惡)은 엄밀히 말해서 존재 그 자체의 진실을 가리키는 것이 아닙니다. 감정으로 존재하며 수많은 감정을 경험하는 우리가 감정에 대한 이해를 형성함에 있어서 그것을 방해하는 어떤 감정이 있다면, 그 감정을 우리는 악으로 규정할 뿐입니다. 이러한 맥락에서 우리는 지금 분석하고 있는 정리의 첫 부분을 이해할 수 있습니다. 이 주제는 본서가 다룬 『정리 5

~ 9』에서 이미 자세히 논의하였습니다.

물론 앞에서 언급한 바와 같이 감정의 무한 양태 가운데 하나로 존재하는 우리는 우리 자신의 감정 또는 우리가 경험하는 어느 감정으로 인해 얼마든지 압도될 수 있지만, 그럼에도 불구하고 우리는 감정 그 자체에 고유한 능력으로서 이성의 힘에 근거하여 감정에 대한 인식에 관하여 절대적인 능력을 보유합니다. 우리는 이 사실을 이미 확인했습니다.

제5부 정리 4: 감정의 이성

우리가 명석하고 판명한 개념을 형성할 수 없는 몸의 변화는 없다.

감정에 고유한 이성의 능력은 실질적으로 신적 본성에 고유한 지성에서 기원하는 것이며, 한편으로 감정의 무한 양태는 사실상 신적 본성의 필연성에서 산출되는 것이기 때문에 우리는 감정 이해에 관한 한 절대적인 능력을 갖습니다. 즉, "우리가 명석하고 판명한 개념을 형성할 수 없는 몸의 변화는 없다."는 것이 영원불변의 진실입니다. 그렇기 때문에 지금 우리가 분석하고 있는 정리는 감정과학의 방법에 해당합니다.

우리가 우리의 본성에 반하는 감정에 의해서 압도되지 않는 한, 우리는 몸의 감정을 지성의 순서에 따라 배열하고 연관시키는 능력을 가진다.

이 능력은 바로 앞에서 제시한 『제5부』의 「정리 4」에 근거한 것이며, 실질적으로는 아래에 제시된 정리에 근거합니다.

제5부 정리 1: 감정의 질서

사유와 감정에 대한 관념이 마음 안에서 정렬되고 연결되는 것과 같이 몸의 변화 또는 감정에 대한 표상은 몸 안에서 정렬되고 연결된다.

무한한 방식으로 무한하게 느끼는 우리 자신의 감정뿐만 아니라 같은 방식으로 존재하는 감정에 대한 우리 자신의 경험에 나아가 우리는 그 각각의 감정에 고유한 본성을 영원무한의 필연성으로 인식함으로써 그것의 완전성과 순수지선을 이해하는 것이 "**몸의 감정을 지성의 순서에 따라 배열하고 연관시키는**" 것입니다. 왜냐하면 우리가 감정에 대한 정의를 순간 변화를 하는 한에서 감정은 절대적으로 몸-생김으로부터 필연적으로 연역되는 몸-놀이에 고유한 본성을 자기 본성의 필연성으로 갖기 때문입니다. 이 사실이 "몸의 변화 또는 감정에 대한 표상은 몸 안에서 정렬되고 연결된다."는 것입니다.

이상의 논의에 입각하여 우리에게 중요한 것은 감정에 대한 타당한 인식을 형성하기 위해서 우리 자신이 구체적으로 할 수 있는 노력이 무엇이냐는 것입니다. 스피노자는 이 물음에 대한 답을 「주석」에서 친절히 들려줍니다.

그러므로 우리가 우리의 정서에 대하여 완전한 인식을 소유하지 않는 동안 할 수 있는 최선의 것은, 올바른 생활 방식이나 특정한 생활 규칙을 정립하고 이것을 기억에 남겨서 삶에서 흔히 발생하는 개별적인 경우에 계속해서 그것을 적용하는 일이다. 이렇게 해서 우리의 표상은 그러한 생활 규칙에서 광범위한 영향을 받으며, 그 생활 규칙은 언제나 우리에게 명백할 것이다.

_스피노자 『에티카』, 제5부 정리 10, 주석.
/강영계 번역(p.341.).

올바른 생활 방식이나 규칙을 유교-성리학의 감정과학은 '잠'(箴)이라고 부릅니다. 이것은 우리로 하여금 감정에 예속되기 보다는 감정에 대한 타당한 인식, 즉 감정에 고유한 본성의 필연성을 인식하도록 인도합니다. 그러한 한에서 스피노자가 제시하는 규칙은 우리에게 의무로 주어지기 보다는 몸의 순간 변화에 대한 개념을 형성함으로써 사실상 감정으로 존재하는 마음이 자기이해의 자명을 추구하도록 인도하는 데에 초점을 둡니다. 즉, 마음으로 하여금 의지를 강조하거나 의지력을 기르도록 강요하는 것이 아니라 인과의 필연성을 영원무한으로 확장해 나아갈 수 있는 자기 본래의 이해력 또는 이성의 힘을 자각하도록 합니다.

스피노자는 주석을 다음과 같이 마무리합니다.

그러므로 자신의 정서와 충동을 오로지 자유에 대한 사랑으로 지배하고자 하는 사람은, 가능한 한 덕과 함께 덕의 원인을 인식하고 덕의 참다운 인식에서 생기는 환희로 영혼을 충만하게 하려고 할 것이다. 그러나 그는 인간의 결점을 고찰해서 인간을 적대시하며 거짓된 자유의 모습을 기뻐하는 짓은 결코 하지 않을 것이다. 이것을 신중하게 관찰하고(왜나하면 이것은 어렵지 않기 때문에), 그것을 실행한 사람은 실로 짧은 기간 안에 대부분 이성의 명령에 따라 자신의 활동을 이끌어 갈수 있을 것이다.

_스피노자 『에티카』, 제5부 정리 10, 주석.
/강영계 번역(p.343.).

"**우리의 본성에 반하는 감정**"이란 실질적으로 감정의 자기이해, 즉 감정에 대한 타당한 인식을 방해하는 감정의 양태에 불과합니다. 동시에 몸의 순간 변화인 감정에 대한 이해를 그 자체에 고유한 본성의 필연성(신)으로 인식하지 못하는 자기 인식의 수동적 상태를 뜻합니다. 어떤 감정이 우리로 하여금 타당한 이해를 형성하지 못하게 할 정도로 강렬하다면, 또는 우리 자신의 감정에 대해서 우리가 잘못 이해하고 있다면, 그러한 감정 인식의 수동이 우리의 본성에 반하는 감정입니다. 그러나 우리는 얼마든지 감정에 대한 타당한 이해를 정립함으로서 자유와 행복을 누릴 수 있습니다. 이 길이 있기 때문에 우리는 생활 규칙을 정립함으로써 감정에 대한 타당한 인식을 확보하도록 노력해야 합니다. 이 노력이 학문의 기쁨입니다.

참고로 다음과 같은 등식을 형성할 수 있습니다.

(1) 우리가 우리의 본성에 반하는 감정에 의해서 압도되지 않는 한
: 이것은 존양(存養)입니다.

(2) 우리는 몸의 감정을 지성의 순서에 따라 배열하고 연관시키는 능력을 가진다.
: 이것은 성찰(省察)입니다.

제5부 정리 11: 마음의 영원무한

감정이 더 많은 몸들과 관련되면 될수록 감정은 보다 더 자주 생겨나게 되며(즉, 감정은 우리의 삶에서 보다 더 빈번하게 나타난다) 그만큼 더 많이 마음으로 하여금 감정에 대해서 느끼고 배우게 한다.

분석

감정이 더 많은 몸들과 관련된다는 것은 감정이 자신과 교차하는 무한한 몸 또는 그 모든 몸의 순간 변화인 감정에 나아가 그에 고유한 본성의 필연성을 인식하는 것입니다. 이 인식을 유교문화의 『대학』(大學)은 '격물치지'(格物致知)라고 합니다. 격물(格物)은 '감정이 자신과 교차하는 무한한 몸 또는 그 모든 몸의 순간 변화인 감정에 나아가는 것'이며, 치지(致知)는 '그에 고유한 본성의 필연성을 인식하는 것'입니다. 감정이 이렇게 자연의 모든 몸(감정)을 그 각각의 존재에 고유한 인과를 영원무한의 필연성으로 인식하게 되면, 이 감정은 〖제5부〗의 「정리 7/ 8」에 의하여 영원무한의 완전성으로 자신의 진면목을 드러냅니다.

제5부 정리 7: 감정의 영원무한

이성으로부터 생겨나거나 이성에 기원하는 감정은 만약 우리가 시간을 고려해 본다면 존재하지 않는다고 생각하는 사물에 대해서 느끼는 감정 보다 더 강하다.

제5부 정리 8: 인과의 필연성

어느 한 감정이 동시에 여러 가지 원인에 의해 유발될수록 그 감정은 그만큼 더 강하다.

감정이 이와 같은 방식으로 자신을 비롯해서 자신이 교차하는 무한한 몸(감정)에 대해서 이해한다는 것은 감정의 이성이 모든 감정에 대해서 절대적으로 통제하고 조절한다는 것을 뜻합니다. 즉, 감정으로 존재하는 마음은 신적으로 완전한 정신 또는 사실상 신의 정신력에 고유한 완전성으로 자신이 형성하는 감정 및 감정과 교차하는 무한한 몸(감정)을 타당하게 이해합니다. 이 사실로부터 매우 중요한 두 가지 사실이 연역됩니다. 하나는 마음이 감정의 존재를 절대적으로 긍정함으로써 사실상 자기 존재의 필연성을 긍정하는 것이며, 다른 하는 마음이 이성의 절대적인 힘 안에서 모든 감정을 배워서 그것의 완전성 내지는 순수지선을 이해합니다.

제5부 정리 10: 감정의 이성에 고유한 힘

우리가 우리의 본성에 반하는 감정에 의해서 압도되지 않는 한, 우리는 몸의 감정을 지성의 순서에 따라 배열하고 연관시키는 능력을 가진다.

그러므로 감정으로 존재하는 우리의 마음이 자기의 감정 또는 자기의 감정으로 교차하는 무한한 몸(감정)에 나아가 그 각각에 고유한 본성의 필연성을 이해하면, 감정(마음)은 감정의 무한한 존재에 관한 한 절대적인 긍정만을 할 것이므로 그에 비례하여 우리는 그만큼 무한한 감정을 느끼게 됩니다. 그리고 그에 비례하여 감정은 자연에 존재하는 감정에 대한 이해를 무한하게 하게 됩니다. 그 결과 감정으로 존재하는 마음은 신의 본질 그 자체인 영원무한의 완전성으로 존재하게 됩니다. 사실상 신의 마음이 지금 우리 자신의 마음으로 존재하고 있다는 사실을 깨닫습니다.

제5부 정리 12: 감정의 자기이해

자연을 구성하는 무한한 몸(감정)에 대해서 감정을 느끼는 마음은 그 어떤 생각 보다 감정에 대한 명석하고 판명한 이해를 형성하는 생각과 보다 더 쉽게 결합한다.

분석

여기에서 감정에 대한 명석하고 판명한 이해는 감정의 자기이해입니다. 감정이 자기 존재에 고유한 본성의 필연성을 영원무한으로 이해하는 것입니다. 감정은 몸의 순간 변화이며 이 변화는 자신과 다른 몸(감정)과의 교차를 통해서 이루어지기 때문에 엄밀히 말해서 몸의 순간 변화인 감정은 자기 안에 자신의 본성 및 자신이 교차하는 다른 몸(감정)의 본성을 본래부터 자기 안에 품고 있습니다. 이 사실에 근거하여 보면, 감정의 자기이해는 감정 스스로 자기 존재에 고유한 본성의 필연성을 이해하는 것일 뿐만 아니라 자신과 교차하는 무한한 몸(감정)에 고유한 본성의 필연성을 이해하는 것입니다. 그리고 감정 스스로 이 이해가 분명하다는 것은 감정에 대한 개념을 형성하는 마음이 자기 정신에 고유한 이성의 힘으로 존재한다는 것을 뜻하므로 당연히 감정의 자기이해는 그 어떤 생각보다도 마음과 보다 더 강하게 연결됩니다. 실질적으로 이 둘을 분리시키는 감정이나 생각은 존재하지 않습니다.

제5부 정리 13: 감정의 영원무한 생명

마음이 형성하는 몸의 순간 변화에 대한 개념으로서 감정은 자신과 다른 감정과 서로 관련성을 갖고 함께 연결되면 될수록 더욱 생생하게 삶에서 생겨난다.

분석

이 정리는 『제2부』의 「정리 18」에 의하여 당연합니다.

제2부 정리 18: 기억의 본성

만약 인간의 몸이 한 번에 두 개 이상의 외부 몸에 의하여 변화된다면, 그 이후에 마음이 그들 가운데 한 몸을 상상하면 그 즉시 마음은 나머지 다른 몸에 대해서도 기억하게 될 것이다.

그러므로 감정의 무한성을 즐기며 이해하는 것이 삶의 영원성을 누리는 유일한 방법입니다. 감정을 느끼며 감정으로 살아가는 삶은 본래부터 영원하고 무한하지만, 무한한 방식으로 무한한 감정을 느끼며 무한한 감정 상호간의 관계를 통해서 무한한 감정을 보다 더 적극적으로 느끼며 이해하는 것은 영원무한의 삶을 보다 더 적극적이고 능동적으로 즐기는 방법입니다.

제5부 정리 14: 감정의 직관과학

마음은 모든 몸의 변화, 즉 몸에 대한 상상(개념)으로서 '감정'을 신의 개념에 연결시킬 수 있다.

분석

이 정리는 다음의 정리에 근거하여 자명합니다. 아래에 제시된 정리들을 순서대로 읽으며 생각해보면 쉽게 이해할 수 있습니다.

제5부 정리 4: 감정의 이성

우리가 명석하고 판명한 개념을 형성할 수 없는 몸의 변화는 없다.

제1부 정리 15: 감정의 영원한 필연성

모든 것은 신 안에 있다. 신 없이는 어떤 것도 존재할 수 없으며 인식될 수도 없다.

제2부 정리 20: 감정의 자기이해

인간 마음의 개념이나 인식은 몸의 개념이나 인식과 마찬가지로 신 안에 존재하며, 인간 마음의 개념이나 인식이 신의 속성인 마음으로부터 연역되는 것과 같이 몸의 개념이나 인식도 신의 속성인 몸으로부터 연역된다. 이처럼 몸과 마음은 신의 속성으로부터 유래하며, 그러한 한에서 이 둘은 동일한 질서(신의 본성의 필연성) 안에 존재하며 그것으로부터 생성된다.

제2부 정리 47: 내 마음의 진실

인간의 마음은 신의 영원하며 무한한 본질에 대한 타당한 인식을 가지고 있다.

이상, 4 개의 정리에 근거하여 우리가 분석하는 정리는 진리입니다.

마음은 모든 몸의 변화, 즉 몸에 대한 상상(개념)으로서 '감정'을 신의 개념에 연결시킬 수 있다.

몸의 순간 변화에 대한 개념을 형성하는 마음은 자신에게 고유한 능력인 이성의 힘에 근거하여 감정을 감각적 현상에 의존함으로써 해석하는 것이 아니라 그에 고유한 본성의 필연성을 영원무한으로 이해합니다. 이 지점에서 이성은 '직관과학'(Scientia Intuitiva)으로 드러납니다.

제2권 정리 44: 믿고 배우는 직관과학

몸을 우연성으로 간주하는 것은 이성의 본성이 아니다. 이성은 모든 몸을 필연성으로 이해한다.

감정(몸의 순간 변화/ 몸)을 필연성으로 인식하는 이성이 자기이해를 영원무한의 필연성 그 자체인 '신의 본성'으로 확립하면, 이 이해가 곧 직관과학입니다.

제1부 정리 29: 성스러운 나의 감정

세상의 모든 것은 우연이 아니라 신의 본성에 고유한 영원무한의 필연성에 의하여 특정한 방식으로 존재하고 작동하도록 결정되어 있다.

몸-생김의 진실이 신의 본성 안에 있기 때문에 당연히 몸-놀이인 감정의 진실 또한 신의 본성 안에 있습니다. 따라서 감정을 신의 본성으로 이해하는 것은 지극히 당연한 것입니다. 이 이해가 스피노자가 윤리학을 통해서 주장하는 직관과학입니다. 감정과학은 이것을 감정의 자기이해 또는 감정의 자기분석이라 합니다. 감정과학은 '감정분석학'입니다.

3. 마지막으로 우리들이 사물의 성질에 대하여 공통 관념과 타당한관념을 소유하는 것으로부터(제2부의 정리 28의 보충과 정리 39 및 그것의 보충, 정리 40 참조). 그리고 나는 이것을 이성 그리고 제2종의 인식이라고 부를 것이다. 이 두 가지 종류의 인식 이외에 내가 다음에 제시하게 될 또 다른 세 번째 것이 있는데, 이것을 우리는 직관지(直觀知: scientia intuitiva)라고 부르게 될 것이다. 이러한 종류의 인식은 신의 한두 가지 속성인 형상적 본질의 타당한 관념에서 사물의 본질의 타당한 인식으로 나아간다.

_스피노자 『에티카』, 제2부 정리 40, 주석2.
/강영계 번역(p.128.).

"신의 한두 가지 속성인 형상적 본질의 타당한 관념에서 사물의 본질의 타당한 인식으로 나아간다."는 것은 "마음은 모든 몸의 변화, 즉 몸에 대한 상상(개념)으로서 '감정'을 신의 개념에 연결시킬 수 있다."는 뜻입니다.

제5부 정리 15: 신을 향한 지적인 사랑

자기 자신과 자신의 감정을 명석하고 판명하게 이해하는 사람은 신을 사랑하며, 자기 자신과 자신의 감정을 더 많이 이해할수록 더욱 더 신을 사랑하게 된다.

분석

자기 자신과 자신의 감정을 명석하고 판명하게 이해한다는 것은 감정이 자신의 이성에 근거하여 자기 존재에 고유한 본성의 필연성을 신의 본성 그 자체인 영원무한으로 이해하는 것입니다. 이 이해는 최고의 완전성이며 동시에 감정 스스로 자신의 순수지선을 확인하는 것이기 때문에 그 자체가 기쁨입니다.

제3부 정리 53: 감정의 기쁨

마음(감정)은 자기 자신과 자신의 활동 능력을 생각할 때, 기쁨을 느낀다. 그리고 마음(감정)이 자신과 자신의 활동 능력을 보다 더 명백하게 느끼면 느낄수록 보다 더 큰 기쁨을 느낀다.

그런데 이 기쁨은 신의 개념을 필연적으로 수반합니다.

제5부 정리 14: 감정의 직관과학

마음은 모든 몸의 변화, 즉 몸에 대한 상상(개념)으로서 '감정'을 신의 개념에 연결시킬 수 있다.

그러므로 감정이 직관과학의 자기이해에 근거하여 자기 존재를 이해하는 한에서 감정은 필연적으로 기쁨을 느끼며, 그에 근거하여 신을 자기 행복의 근원으로 확인합니다. 자기이해의 감정이 신을 사랑하게 되는 필연적인 이유입니다. 또한 감정이 자신을 비롯해서 자연에 존재하는 감정의 무한 양태에 나아가 그 각각에 고유한 존재의 필연성을 신의 본성 안에서 이해하면 할수록 당연히 신을 향한 감정의 사랑은 보다 더 커지게 됩니다. 그리고 이 사랑은 이성의 힘에 기초합니다. 따라서 자기이해의 감정이 신을 사랑한다고 할 때, 이 사랑은 '신을 향한 지적인 사랑'입니다.

제5부 정리 16: 신을 향한 지적인 사랑

자기이해의 감정이 형성하는 신을 향한 지적인 사랑은 마음 안에서 가장 중요한 자리를 갖는다.

분석

마음은 몸의 순간 변화에 대한 개념을 형성함으로써 몸과 동일하게 감정으로 존재합니다. 이 마음(감정으로 존재하는)이 자신(감정)에 대한 이해를 신의 본성에 고유한 영원무한의 필연성으로 이해하면, 그 즉시 자신의 진면목을 명백하게 확인하게 됩니다. 자신은 영원의 필연성으로 최고의 완전성 또는 순수지선 그 자체로 존재하며, 그러한 한에서 신의 존재를 증명하는 성스러운 감정임을 이해합니다. 신은 지금 자신의 감정으로 존재하며, 지금 자신의 감정이 신의 존재를 증명합니다. 그렇기 때문에 감정은 직관과학으로 형성하는 자기이해 이상으로 감정에 대한 완전한 이해를 형성할 수 없습니다. 이 이유로 감정은 자기이해를 통해서 오직 신을 향한 지적인 사랑만을 행복으로 추구합니다. 따라서 "자기이해의 감정이 형성하는 신을 향한 지적인 사랑은 마음 안에서 가장 중요한 자리를 갖는다."는 것은 지극히 당연한 것입니다.

참고로 주자(朱子)와 퇴계(退溪)의 감정과학인 성학(聖學)은 이 정리의 핵심을 리발기수(理發氣隨)의 '심통정'(心統情)으로 정의합니다. 마음이 감정에 대한 이해를 그 자체에 고유한 본성의 필연성인 리(理)로 이해하면, 마음은 감정의 순수지선을 확인합니다. 이러한 방식으로 마음이 감정에 대한 참다운 인식을 형성하면, 마음은 신을 향한 지적인 사랑 이외 그 어떤 것도 행복으로 추구하지 않습니다.

제5부 정리 17: 감정으로 존재하는 신

신은 수동적인 감정 없이 존재하며, 어떠한 기쁨이나 슬픔의 감정에 의해서도 영향을 받지 않는다.

분석

신은 감정으로 존재합니다. 이 명제에서 우리가 혼동하면 안 되는 것은 실체 자체와 실체가 변화한 결과로서 양태 사이에 놓인 논리적 선후(先後)입니다.

> **제1부 정리 1: 감정의 존재 순서**
> 실체는 자기 본성에 의하여 자신의 변화에 앞선다.

실체와 양태 사이에 존재하는 논리적 선후 또는 인과의 필연성은 엄정합니다. 이는 부모와 자식 사이에 고유한 논리적 질서와 동일한 구조입니다. 부모가 자식을 낳는 것이지, 자식이 부모를 낳지 않습니다. 같은 이치로 무한한 방식으로 무한하게 존재하는 양태는 실체에 의해서 존재하도록 결정되었습니다. 논리적 선후를 밝히고 나면, 실체의 소재(所在)에 관한 질문이 생겨납니다. 양태를 무한한 방식으로 무한하게 낳는 실체는 과연 어디에 존재하는 것일까요? 양태를 초월하여 자신만의 세상에 존재하는 것일까요? 이 물음에 대한 답은 다음의 정리에서 찾을 수 있습니다.

제1부 정리 18: 감정의 본성

신은 모든 것을 초월한 원인이 아니라 모든 것 안에 존재하는 내재적 원인이다.

신은 양태를 초월해서 존재하지 않습니다. 모든 양태 안에 존재합니다. 그렇다면 어떠한 방식으로 존재하는 것일까요?

제1부 정리 14: 감정, 신의 존재 증명

오직 신(神)만이 존재할 수 있으며 존재할 수 있다고 이해되는 실체이다. 신 이외 그 어떤 실체도 존재하지 않는다.

제1부 정리 15: 감정의 영원한 필연성

모든 것은 신 안에 있다. 신 없이는 어떤 것도 존재할 수 없으며 인식될 수도 없다.

제1부 정리 16: 감정의 영원한 필연성

신의 본성의 필연성으로부터 무한한 것이 무한한 방식으로 생겨난다. 즉, 무한한 지성의 범위 안에서 모든 것들이 무한한 방식으로 무한하게 생겨난다.

단 하나의 실체로서 신은 모든 양태의 존재를 정립하는 본성 그 자체 또는 본성의 필연성으로 존재합니다. 이 주제를 쉽게 이해하는 방법은 우리 몸에 있습니다. 우리 스스로 자기 몸의 생김에 대해서 생각해 봅시다. 저마다 다른 부모의 모습을 감각적으로 확인할 수 있지만, '부모 없이는 그 어떤 자식도 존재하지 않는다.'라는 단 하나의 본성을 어기며 존재하는 자식은 과거-현재-미래를 통틀어 절대적으로 없습니다. 마치 '세 개의 내각, 그리고 그 총합은 180도'라는 삼각형의 본성을 부정하며 존재하는 구체적인 삼각형이 절대적으로 불가능하다는 논리적 필연성과 일치합니다. 같은 방식으로 실체와 양태 사이에 놓인 존재의 필연성을 이해해야 합니다.

자연을 구성하는 모든 몸은 자기 생김에 관하여 본성의 필연성을 갖습니다. 마치 삼각형이 자기 존재에 관하여 삼각형에 고유한 본성의 필연성 안에 존재하는 것과 같습니다. 이 주제를 우리 자신의 몸으로 확인하면 엄마아빠의 존재입니다. '엄마아빠-나'라는 우리 몸에 고유한 본성의 필연성을 따라서 우리 인간의 몸은 무한한 방식으로 무한하게 태어납니다. 이처럼 몸-생김에 관한 본성을 영원무한의 필연성으로 확인할 때, 이 본성을 '신'으로 규정합니다. 그렇다면 당연히 '신'은 몸-놀이의 감정에도 존재합니다. 무한한 방식으로 무한한 감정도 '신'의 결정 안에 존재합니다. 감정은 자기 존재에 관하여 우연이 아닌 영원무한의 필연성(신)을 본성으로 갖는다는 뜻입니다.

감정의 진실이 이와 같기 때문에 감정에 대한 타당한 인식도 당연히 '신'(영원무한의 필연성)을 향하지 않을 수 없습니다. 그런데 감정이 자기 능력인 이성의 힘에 근거하여 신을 향한 인식을 형성하는 한에서 감정은 철두철미 능동으로 존재합니다. 왜냐하면 감정이 자기 존재를 이해함에 있어서 신을 향한다고 할 때, 이것은 사실상 감정의 자기이해이기 때문입니다. 감정이 자기 안에 본래부터 품고 있는 자기 존재의 본성인 '영원무한의 필연성'(신)을 자기 사유의 자명함으로 명석판명하게 인식하는 한에서 이 인식은 철저히 능동입니다. 이 사실은 다음의 정의에 근거하여 분명합니다.

제3부 정의 2: 감정인식의 능동과 수동

나는 '능동적'이라고 말한다. 어떤 것이 우리 안에서 또는 밖에서 발생할 때, 그에 관하여 우리가 타당한 원인이 되면 우리는 능동적이다. 즉 (앞서 언급한 정의에 따라) 우리의 본성만으로 명석하고 판명하게 이해될 수 있는 어떤 일이 우리 내부나 외부에서 발생할 때, 우리는 능동적이다. 반면, 나는 '수동적'이라고 말한다. 어떤 것이 우리 안에서 발생하거나 우리의 본성에서 나올 때, 그에 관하여 우리가 부분적 원인에 불과하다면 우리는 수동적이다.

몸의 순간 변화에 대한 개념을 형성함으로써 감정으로 존재하는 마음이 자기 존재를 본성에 고유한 영원무한의 필연성으로 인식하는 한에서 이 인식은 철저히 '능동'입니다. 더 나아가 이 능동적인 인식은 실질적으로 신을 향한 지적인 사랑입니다.

제5부 정리 14: 감정의 직관과학

마음은 모든 몸의 변화, 즉 몸에 대한 상상(개념)으로서 '감정'을 신의 개념에 연결시킬 수 있다.

제5부 정리 15: 신을 향한 지적인 사랑

자기 자신과 자신의 감정을 명석하고 판명하게 이해하는 사람은 신을 사랑하며, 자기 자신과 자신의 감정을 더 많이 이해할수록 더욱 더 신을 사랑하게 된다.

감정이 감정의 자기이해 또는 감정의 직관과학에 근거하여 자기 존재를 타당하게 인식한다는 것은 인식의 능동이며 그것의 진면목은 신을 향한 지적인 사랑입니다. 이 사실로부터 다음과 결론은 필연적입니다.

신은 수동적인 감정 없이 존재한다.

이상의 결론에 근거하여 지금 우리가 분석하고 있는 정리의 나머지 부분은 쉽게 이해할 수 있습니다.

신은 어떠한 즐거움이나 고통의 감정에 의해서도 영향을 받지 않는다.

신은 감정으로 존재하지만, 이때의 감정은 감정의 무한 양태에 고유한 본성의 필연성입니다. 이 본성을 따라서 무한한 방식으로 무한한 감정의 양태가 산출되기 때문에 신은 실체로 존재하는 감정입니다. 그렇기 때문에 실체로 존재하는 감정은 감정의 무한 양태 사이에 발생하는 유한성에 절대적으로 놓이지 않습니다.

제1부 정의 2: 감정의 유한성

우리는 '어떤 것'을 '유한하다.'라고 말할 수 있다. 그것이 자기와 동일한 본성을 가진 또 다른 어떤 것에 의해서 제한될 때, 우리는 그것을 유한한 것이라고 말할 수 있다.

신은 감정의 무한 양태에 고유한 본성의 필연성이며 동시에 감정의 무한 양태를 낳는 단 하나의 궁극적 원인입니다. 그렇기 때문에 신은 신 자신에 의해서 산출된 감정의 무한 양태와는 본성이 근본적으로 다릅니다. 물론 감정의 무한 양태는 신의 본성을 자기 존재에 고유한 본성의 필연성으로 갖지만, 앞에서 언급한 바와 같이 존재에 고유한 논리적 선후에서 보면 이 둘은 완전히 다릅니다. 이 둘을 하나로 이해할 수 있어야 하지만, 다른 한편으로 이 둘을 완전히 서로 다른 둘로 이해할 수 있어야 합니다. 오히려 다름을 이해할 때 하나를 이해할 수 있습니다. 부모의 존재로부터 자식의 존재가 필연적이라는 논리적 선후는 엄정합니다. 이 경우 부모의 존재와 자식의 존재를 하나로 보는 것은 인식의 결함입니다.

그러므로 신은 감정으로 존재하며 감정의 무한 양태를 산출하는 근본 원인이 분명하지만, 그렇다고 해서 감정으로 존재하는 신이 자신이 산출한 감정의 무한 양태에 의해서 좌우된다는 것은 있을 수 없습니다. 감정으로 존재하는 신은 감정의 무한 양태에 내재한 본성의 필연성입니다. 이 본성과 감정의 무한 양태의 구체적인 모습으로서 기쁨이나 슬픔 같은 감정은 엄격히 다르며, 또한 이 둘 사이의 논리적 선후 관계는 실체로부터 양태이기 때문에 영원의 필연성으로 감정으로 존재하는 신은 자신이 산출한 감정의 무한 양태에 의해서 그 어떤 영향도 받지 않습니다. 오히려 감정의 무한 양태는 자기 존재의 필연성으로 존재하는 신을 향한 지적인 사랑으로 충만합니다.

제5부 정리 18: 신을 향한 지적인 사랑

그 누구도 신을 미워할 수 없다.

분석

신을 인식한다는 것은 사실상 신을 향한 지적인 사랑을 느낀다는 것입니다. 인식의 주체도 감정이며 그 대상도 감정입니다. 감정이 자신을 올바르게 이해하면 그것으로 영원무한의 필연성인 신을 이해하는 것입니다.

> 제5부 정리 15: 신을 향한 지적인 사랑
>
> 자기 자신과 자신의 감정을 명석하고 판명하게 이해하는 사람은 신을 사랑하며, 자기 자신과 자신의 감정을 더 많이 이해할수록 더욱 더 신을 사랑하게 된다.

> 제5부 정리 16: 신을 향한 지적인 사랑
>
> 자기이해의 감정이 형성하는 신을 향한 지적인 사랑은 마음 안에서 가장 중요한 자리를 갖는다.

그러므로 우리 안에 신의 개념이 존재하는 한에서 그 누구도 신을 미워하거나 증오할 수 없습니다. 끝으로 스피노자의 주석을 참고할 필요가 있습니다.

그러나 다음과 같이 반박할 수 있다. 즉 우리들이 신을 모든 것의 원인으로 인식하는 한 이 사실에 의해서 우리들은 신을 슬픔의 원인으로 여길 것이다. 그러나 이에 대하여 나는 다음과 같이 말한다. 우리들이 슬픔의 원인을 인식하는 한에서 (제5부의 정리 3에 의하여) 슬픔은 수동이기를 멈춘다. 즉 (제3부의 정리 59에 의하여) 그러한 한에서 슬픔이기를 멈춘다. 그러므로 우리가 신을 슬픔의 원인으로 인식하는 한 우리는 기쁨을 느낀다.

_스피노자 『에티카』, 제5부 정리 18, 주석.
/강영계 번역(p.346~347.).

제5부 정리 19: 신의 존재를 증명하는 감정

신을 사랑하는 사람은 그에 대한 대가로 신으로 하여금 자신을 사랑하도록 노력할 수 없다.

분석

신을 사랑한다는 것은 우리가 계속해서 확인하고 있듯이 '신을 향한 지적인 사랑'입니다. 그렇기 때문에 이 사랑은 엄밀히 말해서 어떤 행동으로서 사랑이 아니라 감정이 자기 본래의 능력으로 가지고 있는 이성의 힘에 근거하여 자기이해를 형성하는 것입니다. 감정의 자기이해가 신을 사랑하는 것이며, 이때의 사랑은 신을 향한 지적인 사랑입니다. 감정과학은 이 사랑을 '직관과학'으로 이해합니다.

이러한 방식으로 신을 사랑하는 사람은 그에 대한 대가로 신으로 하여금 자신을 사랑하도록 노력할 수 없습니다. 왜냐하면 신은 감정으로 존재하는 '실체'이기 때문입니다. 어느 특정된 감정의 양태로서 존재하는 것이 아니라 감정의 무한 양태 모두에 고유한 본성의 필연성이 '감정으로 존재하는 신' 또는 '실체로서 감정'입니다. 실체로서 감정과 그로부터 산출되는 양태로서 감정은 인과의 필연성으로 존재하지만 절대로 섞이지 않습니다.

그러므로 신을 사랑하는 사람은 감정의 무한 양태에 나아가 그 존재에 고유한 본성의 필연성을 영원무한으로 인식하고 그에 기초하여 모든 감정의 순수지선을 인식합니다. 이 인식으로 그이는 자기가 느끼며 경험하는 모든 감정이 신의 존재를 증명하는 성스러운 감정임을 이해합니다. 이 이해로 그 사람은 최고의 기쁨을 누리게 되며, 따라서 신으로 하여금 자신을 사랑하게끔 노력할 필요가 없습니다.

제5부 정리 20: 다 좋은 세상

자기이해의 감정이 형성하는 신을 향한 지적인 사랑은 질투나 시기 등과 같은 감정에 의해서 영향을 받거나 오염되는 일이 절대적으로 없다. 오히려 사람들이 신을 향한 지적인 사랑에 참여함으로써 서로에게 사랑의 연대를 확인하면, 사람들은 그만큼 보다 더 많은 사람들이 신과 연합하고 있다고 생각하게 되며 그에 비례하여 신을 향한 지적인 사랑은 강화된다.

분석

신을 향한 지적인 사랑은 감정 밖에서 구하는 것이 아닙니다. 지금 현실적으로 존재하고 있는 기쁨 또는 슬픔 등과 같은 감정의 양태가 자기에게 고유한 이성의 힘에 근거하여 자기 존재에 고유한 본성의 필연성을 인식하게 되면, 그 감정은 자신이 영원무한의 필연성 그 자체인 신에 의해서 존재하도록 결정되었다는 사실을 이해하게 됩니다. 이 이해가 '신을 향한 지적인 사랑'입니다. 자기 존재를 영원무한의 필연성으로 인식하는 감정은 자기 존재의 완전성과 순수지선을 이해하기 때문에 그 즉시 최고의 기쁨을 누리게 되며, 이 기쁨은 영원무한의 필연성 그 자체인 신의 관념을 수반합니다.

어느 한 감정이 신을 향한 지적인 사랑을 통해서 최고의 행복과 기쁨을 누리고 있다고 가정해 봅시다. 그런데 이미 앞에서 밝힌 바와 같이 이 사랑과 행복은 밖에서 구하는 것이 아닙니다. 감정이 자기이해를 통해서 자기 스스로 구하고 자기 스스로 누리는 최고의 기쁨입니다. 그러한 한에서 이 기쁨은 그것을 누리고 있는 감정 자신 이외 그 어떤 감정도 누릴 수 없으며 동시에 그 어떤 감정도 그 기쁨을 빼앗을 수 없습니다. 그러나 이 기쁨은 절대적으로 시기와 질투의 대상이 되지 않습니다. 왜냐하면 현실적으로 존재하는 모든 감정이 자기 안에 본래부터 이 사랑의 기쁨을 가지고 있기 때문입니다.

자연 안에는 무한한 방식으로 무한한 감정이 무한히 생겨나며 동시에 무한히 새롭게 변화합니다. 이 가운데 오직 인간만이 자신의 감정을 비롯해서 자연의 모든 감정에 나아가 그 각각에 고유한 본성의 필연성을 영원무한으로 묻고 배우며 이해하는 직관과학의 '자기이해'를 통해서 신을 향한 지적인 사랑이 가져오는 최상의 행복을 누립니다. 그렇기 때문에 지금 나 자신을 비롯해서 주변의 많은 사람들이 신을 향한 지적인 사랑에 참여하면 할수록 사람들은 최고의 완전성 또는 순수지선 그 자체인 '신'과의 연합 안에서 최상의 기쁨을 느끼며 서로를 믿고 배우게 됩니다.

이러한 배움을 통해서 신의 향한 지적인 사랑은 보다 더 강화되며, 이것은 다시 사람들로 하여금 신 안에서 사랑의 연대를 보다 더 강화하도록 인도합니다. 따라서 스피노자가 다음과 같은 주석을 제시하는 것은 지극히 당연합니다.

신에 대한 사랑은 모든 정서 가운데 가장 항구적이고, 이 사랑은 신체에 연관되는 한에서는 신체 자체와 함께가 아니라면 파괴될 수 없다.

_스피노자 『에티카』, 제5부 정리 20, 주석.
/강영계 번역(p.347~348.).

진실로 강한 감정은 신을 향한 지적인 사랑입니다. 왜냐하면 이미 밝힌 바와 같이 그 어떤 감정도 이 사랑을 약하게 하거나 무력화할 수 없기 때문입니다. 어느 한 감정이 자기이해를 통해서 신을 향한 지적인 사랑을 형성한다면, 그 감정은 자기 존재를 신적 본성의 필연성으로 이해하기 때문에 그러한 자기이해에 근거하여 자기 존재의 영원무한을 확인합니다. 이러한 방식으로 존재하는 감정은 자신을 비롯해서 자연의 모든 감정을 자기이해의 방식으로 이해하기 때문에 모든 감정을 존재 그 자체로 영원무한의 생명과 사랑으로 존중합니다.

신을 향한 지적인 사랑으로 존재하는 감정은 세상의 모든 감정과의 전쟁에서 승리하지 않습니다. 이 사랑 안에서 최상의 기쁨으로 존재하는 감정은 세상의 모든 감정을 신을 향한 지적인 사랑으로 배워서 이해합니다. 그러한 한에서 세상 모든 감정을 최고의 완전성과 최고의 순수지선으로 이해합니다. 그렇기 때문에 자기이해의 감정이 신을 향한 지적인 사랑 안에 존재하는 한에서 이 감정은 세상의 진실을 다 좋은 감정이 다 좋은 세상으로 살아가는 것으로 확인합니다. 이러한 절대적인 사실에 기초하여 절대적인 행복을 살아가는 것이 신을 향한 지적인 사랑으로 존재하는 감정의 힘입니다.

그러므로 스피노자가 주석을 다음과 같이 마무리하는 것은 '직관과학'을 통해서 자기이해의 행복을 추구하는 감정의 진실에 근거하여 필연적입니다.

그러므로 이로부터 우리들은 명석 판명한 인식이, 특히 신의 인식 자체를 기초로 삼는 세 번째 종류의 인식이(이것에 대해서는 제2부 정리 47의 주석 참조) 정서에 대하여 무엇을 할 수 있는지 쉽사리 파악한다. 이 인식은 말하자면 수동적인 한에서의 정서들을 절대적으로 소멸시키지는 않아도(제5부 정리 3과 정리 4의 주석 참조) 적어도 그 정서들로 하여금 정신의 가장 작은 부분을 구성하게끔 한다. 다음으로 명석 판명한 인식은 불변하며 영원한 것에 대한(제5부의 정리 15 참조), 우리들이 진실로 소유할 수 있는 것에 대한(제2부의 정리 45 참조) 사랑을 생기게 한다. 그러므로 이 사랑은 보통 사랑 안에 존재하는 결점에 의해서 더럽혀지지 않고 언제나 점점 더 커질 수 있으며(제5부 정리 15에 의하여), 정신의 가장 큰 부분을 소유하여(제5부 정리 16에 의하여) 광범위한 영향을 미칠 수 있다.

_스피노자 『에티카』, 제5부 정리 20, 주석.
/강영계 번역(p.349~350.).

제5부 정리 21: 소중한 나의 몸

마음은 오직 몸이 지속되는 동안에만 무언가를 상상하거나 지난 일을 기억할 수 있다.

분석

이 정리는 '몸'이 얼마나 소중한 것인지 밝혀줍니다. 마음은 자신의 몸을 떠나서 그 어떤 생각도 할 수 없으며, 심지어 자신이 존재한다는 사실조차 알 수 없습니다. 더 나아가 자연의 모든 몸과 교차하지 않으면 자신의 사유를 확충할 수 없게 됩니다. 그렇기 때문에 어떤 종교인이나 철학자가 몸을 경시하고 있다면, 매우 잘못된 생각이며 사실상 거짓말입니다. 몸으로 살아 있기 때문에 말도 할 수 있는 것입니다. 가장 소중한 것은 몸입니다. 이 몸이 얼마나 소중한 것인지 제대로 이해하는 것이 마음이기 때문에 학문을 마음을 소중히 다룹니다.

제2부 정리 13: 몸을 떠나지 않는 마음

인간의 마음을 구성하는 개념의 대상은 몸이다. 즉, 신의 속성인 확장되는 몸의 특정한 양태로서 현실적으로 존재하는 몸 이외 그 어떤 것도 아니다.

스피노자는 "인간의 마음을 구성하는 개념의 대상은 몸이다."라고 분명히 말합니다. 더 나아가 마음은 몸의 변화에 대한 개념을 형성한다고 합니다.

제2부 정리 22: 마음의 몸

인간의 마음은 몸의 변화뿐만 아니라 이러한 변화에 대한 개념들을 지각한다.

몸의 순간 변화가 감정이며, 마음은 이에 대한 개념을 지각한다고 했으므로 마음은 몸의 순간 변화와 동시에 그에 대한 개념을 지각함으로써 몸과 동일한 논리적 질서 및 동일한 상태(감정)로 존재합니다. 바로 이 지점에서, 즉 '감정'에 의해서 서로 다른 몸과 마음이 본래 하나로 존재하고 있다는 사실을 우리는 계속해서 확인해 오고 있습니다. 그리고 마침내 마음은 자신의 몸 그리고 자기 몸의 순간 변화에 대한 개념을 형성함과 동시에 그에 근거하여 자기 존재의 사실을 확인합니다. 이러한 존재의 사실에 근거하여 마음에게 가장 소중한 것은 자기의 몸이라는 결론이 나옵니다. 마음은 자기 몸의 순간 변화인 감정이 아니면 자기 존재의 사실을 알 수 없습니다.

제2부 정리 23: 마음의 몸

마음은 몸의 변화에 대한 개념을 지각하는 한에서만 자기 자신을 알 수 있다.

마음은 자기 몸의 순간 변화인 감정에 근거하여 자기 존재를 확인하기 때문에 마음은 자기가 개념으로 형성한 감정에 근거하여 자기의 생명을 살아갑니다. 즉, 마음은 자기의 감정에 근거하여 인간 세상 및 자연의 모든 몸 및 그 모든 몸의 순간 변화로서 감정에 대해서 지각합니다.

제2부 정리 26: 몸을 배우는 마음

인간의 마음은 오직 자기 몸의 변화에 대한 개념을 통해서만 외부의 몸이 현실적으로 존재한다고 지각한다.

이상의 논의를 요약하면, 다음과 같습니다. 마음은 자기 몸 또는 자기 몸의 순간 변화에 대한 개념이 아니면 자기 존재를 확인할 수 없다는 사실, 그리고 이 개념에 근거하여 마음은 자연의 모든 몸 또는 그 모든 몸의 순간 변화를 지각합니다. 따라서 지금 우리가 분석하고 있는 정리는 지극히 당연한 것입니다.

마음은 오직 몸이 지속되는 동안에만 무언가를 상상하거나 지난 일을 기억할 수 있다.

이제부터 중요한 것은 감정으로 존재하는 마음입니다. 이 마음은 비록 자기 몸의 순간 변화인 감정에 의존하여 자기 존재를 이해합니다. 동시에 감정으로 세상을 이해하기 때문에 인식에 관하여 마치 '수동'인 것 같습니다. 그러나 마음 그 자체에 고유한 본성은 다음과 같습니다.

제2부 정리 47: 내 마음의 진실

인간의 마음은 신의 영원하며 무한한 본질에 대한 타당한 인식을 가지고 있다.

이러한 마음의 진실을 주자(朱子)의 성리학(性理學) 또는 그것을 계승한 퇴계(退溪)의 성학(聖學)은 허령불매(虛靈不昧)의 '마음' 또는 허령지각(虛靈知覺)의 '마음'으로 설명합니다. 허(虛)는 마음이 자기 아닌 다른 것에 의존하지 않는 것이며, '령'(靈)은 그러한 방식으로 생각하고 이해하는 정신력입니다. '텅 비었다.(虛)'는 것은 오직 자신만이 존재한다는 뜻이며, 이렇게 존재하는 것이 자기 존재의 관념을 형성함에 있어서 자기 아닌 다른 것에 의존하지 않는 것이 '영험'(靈)입니다. 이 방식으로 마음이 생각함으로써 명석판명하게 자기이해를 형성하는 것이 불매(不昧) 또는 지각(知覺)입니다. 즉, 마음은 자기 안에서 자기 스스로 자기 존재에 대한 개념을 형성하며 동시에 자기이해를 형성하는 정신력을 본래부터 가지고 존재합니다.

우리의 논의를 다시 몸과 마음의 관계로 돌아가면, 마음은 비록 몸의 순간 변화에 대한 개념을 형성함으로써 자기 존재 및 세상 모든 몸의 존재를 확인하지만, 엄밀히 말해서 마음은 자기 안에서 스스로 생각함으로써 자기 몸의 순간 변화에 대한 개념을 형성합니다. 이렇게 이해하면 마음은 수동이 아니라 능동입니다. 다음으로 더 중요한 사실이 있습니다. 감정에 대한 개념 형성이 이미 능동이기 때문에 이에 기초하여 마음은 다시 자기의 감정을 능동적으로 이해할 수 있습니다. 그런데 가장 완전함과 동시에 가장 명석하고 판명한 능동적 이해는 신의 관념 안에서 감정을 이해하는 것입니다.

제2부 정리 47: 내 마음의 진실

인간의 마음은 신의 영원하며 무한한 본질에 대한 타당한 인식을 가지고 있다.

제5부 정리 14: 감정의 직관과학

마음은 모든 몸의 변화, 즉 몸에 대한 상상(개념)으로서 '감정'을 신의 개념에 연결시킬 수 있다.

인간의 마음은 신의 마음에서 기원하기 때문에 자기원인의 사유를 자기 본질로 갖습니다. 그렇기 때문에 마치 자식이 부모의 존재를 이해하는 것과 같은 방식으로 마음은 자기 존재의 기원으로서 신의 존재와 본질을 이해하는 능력을 본래부터 갖습니다. 그렇기 때문에 마음은 자기가 개념으로 형성한 감정에 대한 이해를 신의 개념, 즉 영원무한의 필연성으로 이해할 수 있는 능력을 본래부터 가지고 있습니다. 이 능력을 '이성의 힘'으로 부르며, 이 힘에 근거하여 감정으로 존재하는 마음은 자신의 감정 및 자연의 모든 감정을 감각적 현상으로 해석하지 않고 그 자체에 고유한 본성의 필연성으로 이해합니다.

이 이해를 '신을 향한 지적인 사랑'으로 정의합니다.

제5부 정리 15: 신을 향한 지적인 사랑

자기 자신과 자신의 감정을 명석하고 판명하게 이해하는 사람은 신을 사랑하며, 자기 자신과 자신의 감정을 더 많이 이해할수록 더욱 더 신을 사랑하게 된다.

이 사랑 덕분에 감정은 자기이해를 자신을 위한 유일한 행복으로 인식하며, 이 사랑을 연마함에 비례하여 기쁨을 누리게 됩니다. 이때 비로소 감정은 과거-현재-미래라는 공간과 시간을 즐겁게 살아 갈 수 있습니다. 모든 공간과 시간 속에 있는 감정을 신을 향한 지적인 사랑으로 이해하는 한에서 최상의 행복 또는 기쁨은 공간과 시간을 초월한 것이 아니라 뜻밖에 모든 공간과 시간을 가득 채우는 감정의 무한 양태에 있다는 것을 깨닫게 됩니다.

제5부　정리 22: 영원의 상(相) 아래에서

그럼에도 불구하고 신 안에는 필연적으로 어떤 인간의 몸의 본질을 영원의 상(相) 아래에서 표현하는 개념이 있다.

분석

이 정리에서 '그럼에도 불구하고'는 바로 앞의 정리 때문에 첨가된 것입니다. 「정리 21」을 다시 보겠습니다.

> **제5부 정리 21: 소중한 나의 몸**
>
> 마음은 오직 몸이 지속되는 동안에만 무언가를 상상하거나 지난 일을 기억할 수 있다.

이 정리에서 우리가 주의 깊게 봐야 할 것은 '몸의 지속'입니다. 특히 '지속'은 시간과 공간의 한계를 내포합니다. 어느 공간(시간)으로부터 또 다른 공간(시간)으로 이어지는 연속성을 '지속'이라 합니다. 그렇기 때문에 다음과 같은 질문이 제기됩니다. '몸의 지속이 끝나거나 멈추는 순간(예를 들어서, 죽음)이 오면, 마음은 더 이상 그 어떤 상상도 할 수 없게 되고, 심지어 그와 동시에 자기 존재도 상실하게 되는 것입니까?' [사실 이 물음에 대한 답은 이미 앞의 정리에 대한 분석에서 했습니다. '이제부터 중요한 것은'이라고 시작한 문단을 다시 참조.] 이 질문에 대한 답이 지금 우리가 분석하는 정리입니다.

몸의 순간 변화에 대한 개념이 아니면 마음은 자기 존재와 자기 몸의 존재를 확인할 수 없지만, 마음은 자기가 형성한 개념인 감정에 나아가 그에 고유한 본성의 필연성을 인식하는 이성의 힘을 본래부터 가지고 있습니다. 이 힘에 근거하여 마음이 감정의 자기이해에 성공하면, 그 즉시 마음은 신을 향한 지적인 사랑을 느끼는 기쁨을 누리게 됩니다. 이 인식은 모든 감정을 신의 본성에 고유한 영원무한의 필연성으로 이해하는 것이므로 그에 따라서 모든 감정은 자기 본래의 진면목인 영원무한의 생명과 사랑으로 드러납니다.

그리고 몸의 순간 변화인 감정에 관하여 존재에 고유한 논리적 질서를 따져본다면, 이것은 몸의 생김 이후입니다. 그러한 한에서 몸-생김 그 자체에 고유한 본성을 자기 본성으로 갖습니다. 이러한 맥락에서 두 가지 논의가 성립합니다. 하나는 '몸-생김'[선험분석: 이 주제는 총서 제1권 감정으로 존재하는 신 참고.] 그 자체의 진실을 신의 본성으로 이해하는 것입니다. 이 이해로로부터 몸-놀이의 감정 또한 신의 본성 안에 존재합니다. 다른 하나는 앞의 논의에 근거하여 몸-놀이의 감정에 나아가 그 각각에 고유한 본성을 영원무한의 필연성으로 인식하고[후험분석: 이 주제 또한 총서 제1권 감정으로 존재하는 신 참고.], 그것으로 몸-놀이에 앞서는 몸-생김의 본성을 이해하는 것입니다.

위의 두 가지 논의에 근거하여 마음이 지속으로 몸을 이해하는 것과 별개로 신의 본성에 고유한 영원무한의 필연성으로 이해할 수 있는 능력을 본래부터 가지고 있다는 것을 확인할 수 있습니다. 따라서 다음과 같은 정리가 진리의 필연성으로 연역됩니다.

그럼에도 불구하고 신 안에는 필연적으로 어떤 인간의 몸의 본질을 영원의 상(相) 아래에서 표현하는 개념이 있다.

그러므로 스피노자의 다음과 같은 증명은 감정과학에 근거하여 지극히 당연합니다. 아래의 증명은 "**인간의 몸의 본질을 영원의 상(相) 아래에서 표현하는 개념**"이 무엇인지 설명합니다.

따라서 인간 신체의 본질은 신의 본질 자체에 의해서 필연적으로 파악되지 않으면 안 된다(제1부의 공리 4에 의하여). 그 본질은 어떤 영원한 필연성에 의하여 파악되지 않으면 안 된다(제1부의 정리 16에 의하여). 바로 그 개념은 필연적으로 신 안에 존재하지 않으면 안 된다(제2부의 정리 3에 의하여).

_스피노자 『에티카』, 제5부 정리 22, 증명.
/강영계 번역(p.351.).

제5부 정리 23: 영원무한의 생명과 사랑

인간의 마음은 몸과 함께 절대적으로 파괴될 수 없으며, 영원한 어떤 것이 그 가운데 남아 있다.

분석

이 정리는 앞에서 분석한 정리 21과 22를 요약합니다. 몸을 감각적 현상으로 바라보면 모든 몸은 생사(生死)의 한계를 벗어날 수 없습니다. 공간과 시간의 지속으로 몸을 이해할 경우, 몸이 생겨나게 된 공간과 시간이 있고, 이후 몸이 죽음으로 인해 사라지게 되는 공간과 시간이 있습니다. 흔히 말하는 생일(生日)과 망일(亡日)이 이에 해당합니다. 이와 동시에 마음에도 생일과 망일이 적용됩니다. 이렇게 몸과 마음을 이해하는 것이 「정리 21」입니다.

제5부 정리 21: 소중한 나의 몸

마음은 오직 몸이 지속되는 동안에만 무언가를 상상하거나 지난 일을 기억할 수 있다.

그러나 마음은 몸에 대한 이해를 신의 본성에 고유한 영원무한의 필연성으로 이해하는 능력을 본래부터 가지고 있습니다. 이 사실에 대한 확인이 「정리 22」입니다.

제5부 정리 22: 영원의 상(相) 아래에서

그럼에도 불구하고 신 안에는 필연적으로 어떤 인간의 몸의 본질을 영원의 상(相) 아래에서 표현하는 개념이 있다.

마음이 자기 몸을 비롯해서 자연의 모든 몸을 신의 본성으로 이해함으로써 몸 자체의 진실을 영원무한의 생명과 사랑으로 이해한다는 사실을 우리가 이해한다면, 이 이해로부터 우리는 마음이 본래부터 영원무한의 생명과 사랑에 대한 개념을 자기 안에 본래부터 가지고 있다고 인정해야 합니다. 왜냐하면 일시적인 지속과 유한한 것으로 존재하는 것은 절대적으로 영원무한을 이해할 수 없기 때문입니다. 영원무한으로 존재하는 것이 자신의 영원무한을 이해합니다. 따라서 인간의 마음이 몸의 본질을 영원무한의 생명과 사랑으로 이해한다면, 당연히 마음의 본질도 영원무한의 생명과 사랑이라는 결론이 필연적으로 도출됩니다.

우리가 몸과 마음을 위와 같이 영원무한의 필연성 또는 영원의 상(相)으로 이해하는 한에서 우리의 이해는 공간과 시간의 지속에 갇히지 않습니다. 따라서 우리는 스피노자의 증명을 쉽게 이해할 수 있습니다.

우리들은 인간 정신에 대하여 인간 정신이 지속에 의해서 설명되고 시간에 의해서 정의될 수 있는 신체의 현실적 존재를 표현하는 한에서가 아니면 시간에 의해서 정의될 수 있는 지속을 부여하지 않는다. 즉 (제2부의 정리 8의 보충에 의하여) <u>우리들은 인간 정신에 대해서 신체가 지속하는 동안이 아니면 지속을 부여하지 않는다고 본다</u>. 그렇지만 어떤 것은 신의 본질 자체를 통해서 어떤 영원한 필연성에 의하여 파악되므로 (제5부의 정리 2에 의하여) 정신의 본질에 속하는 이 어떤 것은 필연적으로 영원하다. - QE.D.

_스피노자 『에티카』, 제5부 정리 23, 증명.
/강영계 번역(p.351.).

마음이 공간과 시간의 지속에 의존하여 생각하면, 모든 몸은 당연히 지속으로 이해됩니다. 어떤 공간과 시간 속에서 생겨난 것은 또 다른 어떤 공간과 시간 속에서 사라집니다. 그러나 우리가 공간과 시간의 지속이 아닌 몸 그 자체에 고유한 본성으로서 영원무한의 필연성으로 몸을 이해하는 한에서 몸은 절대적으로 공간과 시간의 지속으로 이해되지 않습니다. 동시에 마음의 존재 또한 같은 방식으로 이해됩니다. 이 이해가 영원의 상(相) 아래에서 마음이 몸과 자신에 대해서 이해하는 것입니다.

그러므로 우리가 우리 자신을 비롯해서 자연의 모든 몸을 영원의 상(相) 아래에서 이해하는 한에서 우리 자신의 생명 및 자연의 모든 생명은 영원무한으로 존재한다는 사실을 명백하게 이해합니다. 이 지점에서 우리는 두 가지 방법으로 이 이해의 진리를 확인할 수 있습니다. 우리가 공간과 시간의 한계 안에서 생명을 이해하는 것은 생명 그 자체에 대한 인식이 아니므로 엄밀히 말해서 그 이해는 수동적 인식입니다. 다음으로 우리가 생명 그 자체에 고유한 본성을 영원무한의 필연성으로 이해하는 한에서 생명의 진실은 본래부터 영원무한입니다. 따라서 생명을 올바르게 이해하는 방법은 지속이 아니라 영원의 상(相)에 있습니다.

끝으로 스피노자의 주석이 매우 중요합니다. 우리가 비록 기하학적 질서에 따라서 증명된 생명의 진실을 이해하지 못한다고 해도, 우리는 얼마든지 생명의 영원무한을 느끼며 경험한다는 것입니다. 스피노자는 우리의 일상적인 경험에 근거해 보아도 생명의 진실이 영원무한이라는 것을 알 수 있다고 합니다.

> 우리들이 말한 것처럼, 진체의 본질을 영원한 상 아래에 (sub specie aeternitatis) 표현하는 이 관념은 정신의 본질에 속하는 필연적으로 영원한 특정한 사유 양태이다. 그렇지만 우리들은 우리의 신체에 앞서서 존재했던 것을 상기할 수 없다. 왜냐하면 신체 안에 그것에 대한 어떤 흔적도 있을 수 없고, 영원성은 시간에 의하여 정의되지 않으며 시간과 아무런 관계도 가질 수 없기 때문이다. 그렇지만 우리는 우리들이 영원하다는 것을 느끼며 경험한다. 왜냐하면 정신은 지성에 의한 파악과 기억을 똑같이 느끼기 때문이다. 왜냐하면 사물을 보고 관찰하는 정신의 눈은 증명 자체이기 때문이다. 그러므로 비록 우리들이 신체에 앞서서 존재했다는 것을 상기하지 않을지라도, 우리들의 정신은 영원하다는 것 그리고 정신의 이 존재는 시간으로 정의하거나 지속으로 설명할 수 없다는 것을 우리들은 느낀다. 그러므로 우리들의 정신은 신체의 현실적 존재를 포함하는 한에서만 지속한다고 일컬어질 수 있으며, 그러한 한에서만 우리들의 정신은 사물의 존재를 시간에 의해서 결정하고, 사물을 지속 아래에서 파악하는 능력을 소유한다.
>
> _스피노자 『에티카』, 제5부 정리 23, 주석.
> /강영계 번역(p.352.).

부부가 결혼을 약속할 때 영원의 사랑을 맹세하는 것, 엄마가 자신의 생명으로 새로운 생명을 낳는 것, 자식이 부모를 생각하는 것 등, 이 모든 우리의 일상적 경험이 생명의 영원무한을 증명합니다.

제5부 정리 24: 감정과학의 기쁨

우리가 각각의 감정들을 더 많이 이해할수록 우리는 그만큼 신을 이해한다.

분석

우리가 감정을 이해한다는 것은 신을 향한 지적인 사랑을 느낀다는 것입니다. 신의 본성에 고유한 필연성으로 감정을 이해하는 것입니다. 그러므로 우리가 각각의 감정들을 이 사랑으로 이해하면 할수록 우리는 그만큼 신을 이해하며, 동시에 그만큼 우리는 영원무한의 생명과 사랑을 누리는 축복을 받습니다.

참고로 유교문화의 감정과학을 정리한 문서 가운데 하나인 『대학』(大學)은 이 이해를 '명명덕'(明明德) 또는 '격물치지'(格物致知)라고 부릅니다. 자세한 것은 『대학의 감정과학』 참조.

제5부 정리 25: 욕망의 이성 = 덕

마음이 자기 존재를 유지하기 위해서 할 수 있는 최고의 노력 또는 최고의 덕은 세 번째 종류의 인식에 의하여 감정을 이해하는 것이다.

분석

감정과학은 "마음이 자기 존재를 유지하기 위해서 할 수 있는 최고의 노력"을 욕망으로 정의합니다.

제3부 정리 7: 욕망의 진실

각각의 몸이 자신의 '욕망'(conatus)으로 자기 존재를 유지하려는 노력은 그 몸 자신의 현실적 본질이다.

그런데 『제5부』의 「정리 23」에서 논의한 바와 같이, 마음이 자기 존재를 유지하는 방법은 크게 두 가지로 요약되지만 사실상 단 하나의 방법만이 유효합니다. 마음은 공간과 시간의 지속으로 자신과 몸을 유지할 수 있습니다. 그렇지만 마음은 이 경우 생사(生死)의 한계를 벗어날 수 없습니다. 사실상 자기 존재를 유지하는 방법이 아닙니다. 반면, 마음이 몸에 고유한 본성을 신에 고유한 본성으로서 영원무한의 생명과 사랑 안에서 이해하면, 마음은 자신과 자기 몸을 영원무한의 생명과 사랑으로 유지할 수 있게 됩니다. 이 방법만이 욕망의 진실에 부합합니다.

이 지점에서 영원무한의 생명과 사랑에 대해서 의심하거나 부정하려는 사람들을 상상할 수 있습니다. 눈앞에 있는 몸이 죽음으로 인해 차갑게 식고 이내 부패하고 있는 광경을 보고도 그런 말을 할 수 있냐는 것입니다. 그러나 이미 논의한 바와 같이 이런 말들은 공간과 시간의 지속으로 존재를 이해기 때문에 발생합니다. 우리는 공간과 시간의 지속으로 존재를 이해할 수 있지만, 얼마든지 존재 그 자체에 고유한 본성으로서 영원무한의 생명과 사랑으로 눈앞에 있는 존재를 이해할 수 있습니다. 이 이해가 이성의 힘이 이해하는 신의 개념이며, 이러한 개념 형성을 스피노자는 '세 번째 인식' 또는 '직관 과학'이라고 부릅니다.

이 인식은 원인과 결과의 필연성을 이해하는 '이성'이 원인에 대한 추궁을 영원무한으로 확인한 결과, 모든 것은 신의 본성에 고유한 영원무한의 필연성에 의해서 존재하고 활동하도록 결정되었다는 사실을 명석판명하게 이해한 것입니다. 그렇기 때문에 이 이해는 엄격히 말해서 이성이 자기 안에서 자기 스스로 자명한 이해를 형성한 것으로서 실질적으로 '자기이해'입니다. 이 이해를 형성하는 주체가 마음이며, 이 마음에 고유한 이성의 힘입니다. 그렇기 때문에 마음이 이성의 힘에 근거하여 자기이해를 확립하고, 그것으로 자명한 이해를 형성했다면, 이 이해는 최고의 완전성 그 자체이기 때문에 의심의 여지를 남기지 않습니다.

제2부 정리 43: 믿음의 감정과학

참된 개념을 소유한 사람은 그와 동시에 자신이 참된 개념을 소유하고 있다는 것을 알고 있으며, 이 진리를 의심하지 않는다.

마음이 공간과 시간에 의존하지 않고 오직 자기 안에 본래부터 존재하는 이성의 힘에 근거하여 몸의 순간 변화인 감정을 그 자체에 고유한 본성의 필연성으로 인식하면, 그 즉시 마음은 자신과 자기 몸을 영원무한의 생명과 사랑으로 확인합니다. 여기에서 마음과 몸은 서로 다른 것이 분명하지만 사실상 감정에 의해서 본래 하나로 존재하고 있다는 사실이 증명되기 때문에 마음이 감정을 영원무한의 생명과 사랑으로 이해하는 한에서 몸과 마음은 자기 존재의 진실을 영원무한의 생명과 사랑으로 명백하게 확인하며, 이 사실을 절대적으로 의심하지 않습니다.

이 사실로부터 마음이 자기 존재를 유지하기 위해서 할 수 있는 최고의 노력은 세 번째 종류의 인식에 의하여 감정을 이해하는 것이라는 결론이 나옵니다. 이 노력을 스피노자는 덕(德)으로 규정합니다. 왜냐하면 덕의 기초는 자기 보존에 있기 때문입니다. 자기 존재 자체가 없다면, 덕에 대한 논의 자체가 불가능합니다.

제4부 정리 22: 감정의 자기보존 욕망

그 어떤 덕(德)도 자기 자신을 보존하려는 욕망 보다 우선적으로 생각될 수 없다.

덕은 자기 보존의 욕망과 실질적으로 일치하기 때문에 우리가 자기 보존의 욕망에 대한 이해를 감정에 고유한 본성을 신적 본성의 필연성으로 이해하는 마음 또는 마음에 고유한 이성의 힘으로 정의하는 한에서, 덕은 사실상 이성의 힘입니다. 이 사실을 다음의 정의에서 확인할 수 있습니다.

제4부 정의 8: 감정의 덕과 능력

나는 덕(德)과 능력을 같은 것으로 이해한다. 우리가 덕을 인간의 본질이나 본성으로 이해하는 한에서 덕은 자기 본성의 필연성만으로 이해되는 것을 실현하는 능력이다.

제4부 정리 20: 감정의 적자생존

우리 모두가 우리 자신의 이익을 구하기 위하여 노력하면 할수록, 즉 우리 자신의 존재를 유지하기 위하여 노력하면 할수록, 우리는 덕(德)의 축복을 누린다. 반대로 우리 자신의 이익이나 존재의 유지를 방치하면 할수록 우리는 무력하게 된다.

그러므로 덕(德)의 축복은 마음이 이성의 힘에 근거하여 모든 감정을 신적 본성의 필연성으로 이해하는 것입니다.

제5부 정리 26: 욕망의 이성적 판단

마음이 감정에 대한 이해를 세 번째 종류의 인식으로 형성하는 능력을 강화하면 할수록 마음은 이 인식으로 감정을 이해하기를 욕망한다.

분석

이 정리는 앞에서 분석한 「정리 16/ 23」에 근거하여 지극히 당연합니다.

제5부 정리 16: 신을 향한 지적인 사랑

자기이해의 감정이 형성하는 신을 향한 지적인 사랑은 마음 안에서 가장 중요한 자리를 갖는다.

제5부 정리 23: 영원무한의 생명과 사랑

인간의 마음은 몸과 함께 절대적으로 파괴될 수 없으며, 영원한 어떤 것이 그 가운데 남아 있다.

그러므로 마음이 세 번째 인식인 직관과학 또는 감정의 자기이해에 근거하여 감정을 신에 고유한 본성인 영원무한의 생명과 사랑으로 이해하는 한에서, 마음은 오직 이 이해를 통해서 자기 존재를 영원무한으로 확인하기 때문에 마음은 이 인식을 유일한 행복의 원천으로 추구합니다.

제5부 정리 27: 감정과학의 행복

마음은 세 번째 종류의 인식에 의해서 최고의 자기만족을 누릴 수 있다.

분석

이 정리는 앞에서 살펴본 「정리 25」에 근거합니다.

제5부 정리 25: 욕망의 이성 = 덕

마음이 자기 존재를 유지하기 위해서 할 수 있는 최고의 노력 또는 최고의 덕은 세 번째 종류의 인식에 의하여 감정을 이해하는 것이다.

덕(德)은 감정으로 존재하는 마음이 자기 존재 및 자연의 모든 감정을 그 각각에 고유한 본성의 필연성인 신 또는 영원무한의 필연성으로 이해하는 것입니다. 이 이해로부터 감정은 자기 생명의 진실을 영원무한으로 확인합니다. 그렇기 때문에 덕은 마음이 자기 존재를 최고의 완전성 또는 순수지선 그 자체로 이해하는 것입니다. 동시에 이 이해를 확립하기 위해서 자기이해를 유일한 행복의 기초로 확립하는 것이 덕입니다.

제4부 정리 20: 감정의 적자생존

우리 모두가 우리 자신의 이익을 구하기 위하여 노력하면 할수록,

즉 우리 자신의 존재를 유지하기 위하여 노력하면 할수록, 우리는 덕(德)의 축복을 누린다. 반대로 우리 자신의 이익이나 존재의 유지를 방치하면 할수록 우리는 무력하게 된다.

감정은 오직 자기이해의 직관과학을 연마함으로써 최고의 행복을 누릴 수 있습니다. 그리고 이 행복은 다른 감정과의 비교에 의한 것이 아닙니다. 감정이 자기이해를 통해서 자기 스스로 자기 존재의 완전성과 순수지선을 확인한 결과 자기 스스로 누리는 행복입니다. 이것은 자기 구원이며 자기 안에서 찾는 최고의 행복입니다. 이 행복이 분명할 때, 감정은 자연의 모든 감정을 자기이해와 동일한 방식으로 이해합니다. 그렇기 때문에 감정이 자기이해를 통해서 누리는 최고의 행복으로서 자기만족은 모든 감정을 자기 존재의 진실인 최고의 완전성 또는 순수지선으로 이해하는 것입니다.

그러므로 감정이 자기이해의 직관과학을 통해서 누리게 되는 자기만족의 행복은 비교의 대상이 아닙니다. 비교를 당하지도 않습니다. 자기이해의 직관과학으로 자신을 이해하는 감정은 자신과 다른 감정과의 만남을 행복과 행복의 무한 교차로 이해합니다. 이러한 교차를 통해서 감정은 감정의 무한 교차를 무한히 배워서 신을 향한 지적인 사랑을 느낍니다. 이렇게 배움으로써 감정은 자신의 행복을 보다 더 큰 완전한 행복으로 무한히 증진시켜 갑니다. 우리 인간이 자신의 감정 및 자연의 모든 감정을 이러한 방식으로 배우면, 감정으로 살아가는 자연의 진실은 다 좋은 세상으로 환하게 자기 본래의 얼굴을 드러냅니다.

제5부 정리 28: 감정과학의 이성

세 번째 종류의 인식으로 감정을 이해하려는 노력이나 욕망은 첫 번째 종류의 인식에서 생길 수 없지만 두 번째 종류의 인식에서는 생길 수 있다.

분석

첫 번째 종류의 인식은 공간과 시간의 한계 안에서 감각적으로 지각되는 현상에 의존하여 감정을 이해하는 것입니다. 쉽게 말해서 감정의 겉모습으로 감정의 선악(善惡)을 판단하는 것이 이에 해당합니다. 반면에 두 번째 종류의 인식은 감정을 필연성으로 인식하는 이성입니다. 그리고 이 이성이 영원무한의 필연성으로 감정에 고유한 존재의 본성을 이해하면 이 인식이 곧 세 번째 종류의 인식으로서 직관과학입니다. 아래에 제시된 정리들을 순서대로 검토하겠습니다.

제2부 정리 41: 감정과학의 축복

첫 번째 종류의 인식은 오류의 유일한 원인이다. 두 번째와 세 번째 종류의 인식은 필연적으로 참이다.

제2부 정리 42: 감정과학의 즐거움

두 번째와 세 번째 인식은 우리에게 진실과 거짓을 판단할 수 있도록 가르쳐주지만, 첫 번째 인식은 그렇지 않다.

첫 번째 인식과 두 번째 인식의 근본적인 차이점은 필연성에 대한 인식입니다. 전자는 우연성에 빠지기 쉽지만, 후자는 오직 필연성만을 인식합니다. 이것이 이성의 기능입니다. 이성이 자기 본래의 기능에 충실함으로써 필연성을 계속해서 이해해 나아가면, 궁극에 이르러 신의 존재를 명백하게 이해합니다. 신은 영원무한의 필연성이며, 그러한 한에서 단 하나로 존재합니다. 자연의 모든 감정에 나아가 그 각각에 고유한 영원무한의 필연성을 확인하면, 그것이 곧 신을 인식하는 것입니다. 이러한 맥락에서 스피노자의 신은 자연의 모든 감정을 산출하는 단 하나의 자기원인이며, 그렇기 때문에 영원무한의 필연성 그 자체입니다.

제2부 정리 44: 믿고 배우는 직관과학

몸을 우연성으로 간주하는 것은 이성의 본성이 아니다. 이성은 모든 몸을 필연성으로 이해한다.

제2부 정리 45: 신성한 나의 감정

모든 몸 또는 현실적으로 존재하는 모든 특정한 몸에 대한 개념은 신의 영원하고 무한한 본질을 포함한다.

제2부 정리 46: 감정의 자기이해

모든 개념이 자기 안에 품고 있는 영원하고 무한한 신의 본질에 대한 인식은 타당하며 완벽하다.

제2부 정리 47: 내 마음의 진실

인간의 마음은 신의 영원하며 무한한 본질에 대한 타당한 인식을 가지고 있다.

필연성만을 인식하는 감정의 이성이 영원무한의 필연성으로 자기 존재 및 자연의 모든 감정을 이해하면, 바로 이 지점에서 두 번째 인식으로서 이성은 세 번째 인식인 직관과학과 일치합니다. 신에 대한 인식이 감정을 떠나서 존재하지 않습니다. 감정에 나아가 그것의 존재를 영원무한의 필연성으로 인식하면, 이 인식이 신에 대한 인식입니다. 스피노자의 윤리학, 즉 감정과학은 이 인식을 '신을 향한 지적인 사랑'이라 부릅니다.

제5부 정리 15: 신을 향한 지적인 사랑

자기 자신과 자신의 감정을 명석하고 판명하게 이해하는 사람은 신을 사랑하며, 자기 자신과 자신의 감정을 더 많이 이해할수록 더욱 더 신을 사랑하게 된다.

제5부 정리 24: 감정과학의 기쁨

우리가 각각의 감정들을 더 많이 이해할수록 우리는 그만큼 신을 이해한다.

첫 번째 인식으로는 직관과학을 이해할 수 없지만, 두 번째 인식은 반드시 세 번째 인식인 직관과학으로 직결됩니다. 이것으로 이성은 자기 본래의 임무를 충실히 수행합니다. 따라서 스피노자의 다음과 같은 증명은 지극히 당연합니다.

그러므로 (정서의 정의 1에 의하여) 세 번째 종류의 인식에 따라서 사물을 인식하려는 욕망은 첫 번째 종류의 인식에서는 생길 수 없지만 두 번째 종류의 인식에서는 생길 수 있다. - Q.E.D.

_스피노자 『에티카』, 제5부 정리 28, 증명.
/강영계 번역(p.349~354.).

끝으로 이 인식은 신비스럽거나 난해한 것이 전혀 아닙니다. 사실, 우리의 일상은 직관과학으로 가득합니다. 가장 대표적으로 자녀의 감정을 배우는 부모의 감정을 제시할 수 있습니다. 부모는 자녀의 감정에 대해서 끊임없이 묻고 배움으로써 자녀의 감정을 최대한 존중하려고 노력합니다. 감정의 겉모습만으로 감정을 판단하지 않습니다. 이처럼 인과의 영원한 필연성에 근거하여 감정의 존재 방식에 고유한 본성을 배움으로써 감정을 존중하는 것이 직관과학입니다. 그러므로 우리 모두가 직관과학을 연마하며 살아가는 한 필연적으로 서로에게 생명과 사랑만을 나누어 주게 되어 있습니다. 그렇지 않으면 전쟁이 우리를 기다리고 있습니다.

제5부 정리 29: 감정과학의 논리

마음이 영원의 상(相) 아래서 감정을 이해한다고 할 때, 이 사실은 공간과 시간의 한계 안에서 몸을 생각하는 마음에서 나오는 것이 아니라 몸의 본질을 영원의 상(相) 아래서 이해하는 마음에서 나온다.

분석

감정과학의 논리를 정리하면 다음과 같습니다.

① 몸을 생김과 놀이로 나누어 말할 수 있어야 합니다.
② 생김은 놀이에 앞섭니다.
③ 논리적 선후에 근거하여 우선, 몸-생김에 나아가 생각해야 합니다.
④ 몸-생김을 공간과 시간의 한계에 두지 않고, 몸-생김 그 자체의 본성에 대해서 생각해야 합니다.
⑤ 엄마아빠의 몸으로부터 지금 내 몸이 생겨났다는 사실은 내가 내 몸에 나아가 생김의 진실을 필연성으로 이해한 결과 내 안에서 자명하게 확인한 영원무한의 사실입니다.
⑥ 내 몸-생김의 본성으로 존재하는 엄마아빠의 몸은 반드시 존재하며 존재하지 않는다고 생각할 수 없기 때문에 영원무한의 필연성입니다. 이 사실로부터 엄마아빠의 몸은 영원무한의 생명입니다. 왜냐하면 내 몸의 생명을 낳아준 어마아빠의 몸은 당연히 생명의 몸이며,

이 몸은 영원무한의 필연성으로 존재하기 때문입니다. 그리고 이 생명이 지금 내 몸을 낳았기 때문에 영원무한의 생명은 동시에 영원무한의 사랑입니다. 생명이 생명을 낳는 것을 사랑으로 우리가 정의하는 한에서.

⑦ 영원무한의 생명과 사랑으로 존재하는 몸이 지금 내 몸을 낳아주었다면, 당연히 영원무한의 생명과 사랑은 영원의 필연성으로 자신이 가진 영원무한의 생명과 사랑만을 내 몸에 줄 것이므로, 내 몸-생김의 진실은 영원의 필연성으로 영원무한의 생명과 사랑입니다.

⑧ 생김은 놀이에 앞선다는 사실로부터 생김의 진실이 놀이의 진실입니다. 생김으로 놀이합니다.

⑨ 내 몸-생김의 진실이 영원무한의 생명과 사랑이기 때문에 생김으로 놀이한다는 감정과학의 공리에 근거하여 내 몸-놀이의 진실도 당연히 영원무한의 생명과 사랑입니다.

⑩ 그러므로 내 몸-놀이에서 내가 느끼는 나의 감정은 무한한 방식으로 무한하지만 그 모든 감정의 무한성 또는 무한 양태는 영원의 필연성으로 영원무한의 생명과 사랑을 자기 존재에 고유한 본성의 필연성으로 갖습니다. 이 사실은 자연의 모든 몸에 적용됩니다. 왜냐하면 자연의 모든 몸이 지금 내 몸과 같은 방식으로 생김으로 놀이하기 때문입니다.

이상, 감정과학의 논리를 정리했습니다. 중요한 것은 몸-생김을 공간과 시간의 한계 안에서 이해하는 것이 아니라 마음이 인과의 필연성을 자기 스스로 이해하는 자기 사유의 능동성 또는 자기에게 고유한 이성의 힘에 근거하여 몸-생김에 고유한 본성을 영원무한의 필연성으로 이해하는 것입니다. 이 이해가 분명할 때 비로소 마음은 감정을 감각적 현상에 의존하여 해석하지 않습니다. 몸-생김으로부터 필연적으로 연역되는 몸-놀이의 본성인 영원무한의 생명과 사랑 또는 영원무한의 필연성을 향한 확고부동한 믿음 아래에서 무한한 방식으로 무한한 감정을 영원무한의 필연성으로 이해합니다. 그 결과 감정은 영원무한의 생명과 사랑으로 자기 존재의 진면목을 이해하며, 오직 이 이해만으로 자연의 모든 감정을 배우며 사랑합니다.

그러므로 우리는 스피노자의 주석을 매우 쉽고 지극히 당연한 것으로 이해할 수 있습니다.

우리들이 사물을 현실적인 것으로 파악하는 데는 두 가지 방식이 있다. 즉 사물을 특정한 시간과 장소에 연관시켜 존재하는 것으로 파악하든가 아니면 사물은 신 안에 포함되어 있으며 신적 본성의 필연성에서 생기는 것으로 파악하는 방식이다. 그러나 이 두 번째 방식에 따라서 참답거나 현실적이라고 파악되는 것을 우리들은 영원한 상 아래에서 파악하며, 그러한 것의 관념에는 우리들이 제2부 정리 45에서 제시한 것처럼(제2부의 정리 45의 주석 참조) 신의 영원하고도 무한한 본질이 포함되어 있다.

_스피노자 『에티카』, 제5부 정리 29, 주석.
/강영계 번역(p.355.).

사물을 파악하는 방식 가운데 하나는 "사물을 특정한 시간과 장소에 연관시켜 존재하는 것으로 파악"입니다. 여기에서 가장 중요한 것은 공간(장소)과 시간입니다. 그러나 스피노자에 의하면 이러한 방식으로 몸 또는 감정을 이해하는 것은 타당한 인식이 아닙니다. 왜냐하면 모든 몸 또는 감정에 고유한 진실로서 영원무한의 생명과 사랑을 이해할 수 없기 때문입니다. 즉, 모든 몸 또는 감정의 순수지선을 이해할 수 없습니다. 이로부터 우리는 나쁜 몸이나 감정이 존재한다는 사실을 인정해야 합니다. 폭력과 살인, 심지어 전쟁을 피할 길이 없습니다.

그러나 이 지점에서 감정과학은 칸트의 순수이성에 대해서 언급하지 않을 수 없습니다. 왜냐하면 칸트는 자신의 명저인 『순수이성비판』에서 이성의 순수성을 공간과 시간의 한계 안에 가두는 것으로 확보하기 때문입니다. 스피노자의 이성은 필연성을 인식하는 자기 본래의 힘에 근거하여 영원무한의 필연성 그 자체인 '신' 존재에 대한 명석판명의 개념을 형성하는 데에 반드시 성공하지만, 뜻밖에 이와 정반대로 칸트의 이성은 공간과 시간의 한계 안에서 감각적 현상으로 드러나는 몸의 현상만을 종합하고 그것으로 몸을 이해합니다. 그 결과 스피노자의 이성이 이해하는 '신'의 본질 및 본성을 절대적으로 인식할 수 없다는 불가지(不可知)의 모래성 안에 가둡니다.

칸트는 반드시 스피노자의 『에티카』를 열심히 읽고 또 읽었을 것입니다. 당대 모든 지성인들의 필독서가 스피노자의 『에티카』였습니다. 아마도, 감정과학의 상상이기는 하지만, 칸트는 앞에서 제시한 스피노자의 주석을 읽으며 "사물을 특정한 시간과 장소에 연관시켜 존재하는 것으로 파악"이라는 부분을 발견한 이후 『순수이성비판』을 구체적으로 준비할 수 있었을 것입니다. 왜냐하면 이 책은 공간과 시간으로 시작하기 때문입니다. 선험-종합으로서 공간과 시간을 제시한 다음 그 한계 안에서 후험-종합을 하라는 것이 칸트가 제시한 순수이성입니다. 이때 우리가 절대 알 수 없는 것은 감정(후험)의 순수지선입니다. 이러한 인식의 비극이 어떤 결과를 초래하는지 이미 밝혔습니다.

스피노자는 우리 인간에 대한 믿음이 분명합니다. 엄격히 말해서 인간의 마음입니다. 우리 인간의 마음은 자기 스스로 생각해서 자기 스스로 이해를 형성하는 이성의 힘을 가지고 있습니다. 그리고 이성의 능력은 무엇보다도 부모를 생각하는 자식의 마음, 즉 생겨난 것이 자신을 생기게 한 존재를 이해하며, 그것으로부터 자신을 이해하는 인과의 필연성을 이해하는 정신력입니다. 유교문화는 이 정신을 효(孝)라고 부릅니다. 그렇기 때문에 스피노자는 가장 지극한 효자, 즉 대효(大孝)입니다. 이 '대효'를 우리 모두의 마음으로 확인하려는 노력이 스피노자의 윤리학입니다. 이 지점에서 우리는 칸트의 순수이성을 어떻게 이해할 수 있을까요? 불효막심이 따로 없습니다.

제5부 정리 30: 감정으로 존재하는 신

우리의 마음이 자신과 자기 몸을 영원의 상(相) 아래에서 이해하는 한에서 마음은 자신과 자기 몸이 신 안에 존재하며 신에 의해서 생각된다는 사실을 이해한다.

분석

마음이 자기 몸에 대한 이해를 생김과 놀이로 나누고, 다시 생김에 나아가 그에 고유한 본성을 영원무한의 필연성으로 이해하면, 이 이해가 영원의 상(相) 아래에서 몸-생김을 이해하는 것입니다. 이 이해로부터 몸-놀이의 본성 또한 영원무한의 필연성으로 존재합니다. 이러한 감정과학의 논리가 성립하는 근거는 다음과 같습니다.

제1부 정리 14: 감정, 신의 존재 증명

오직 신(神)만이 존재할 수 있으며 존재할 수 있다고 이해되는 실체이다. 신 이외 그 어떤 실체도 존재하지 않는다.

제1부 정리 15: 감정의 영원한 필연성

모든 것은 신 안에 있다. 신 없이는 어떤 것도 존재할 수 없으며 인식될 수도 없다.

제1부 정리 16: 감정의 영원한 필연성

신의 본성의 필연성으로부터 무한한 것이 무한한 방식으로 생겨난다. 즉, 무한한 지성의 범위 안에서 모든 것들이 무한한 방식으로 무한하게 생겨난다.

그러므로 우리가 우리 자신의 몸을 비롯해서 자연의 모든 몸을 신의 본성에 고유한 영원무한의 필연성으로 인식하는 한에서 마음은 자신과 모든 몸이 신 안에 존재하며 신에 의해서 생각된다는 사실을 이해합니다. 그리고 이 이해는 몸의 순간 변화인 감정에도 그대로 적용됩니다. 마음은 모든 감정이 신 안에 존재하며 신에 의해서 생각된다는 사실을 이해합니다. 끝으로 이러한 이해를 형성하는 것이 왜 중요한지 생각해야 합니다. 오직 이 이해만이 몸 또는 몸의 순간 변화에 대한 올바른 이해이며, 그 결과 우리는 몸 또는 몸의 순간 변화인 감정을 순수지선으로 확인합니다.

제5부 정리 31: 신의 마음 = 나의 마음

마음이 영원성 자체로 존재하며 생각하는 것인 한에서 세 번째 종류의 인식은 오직 이 마음만을 원인으로 하여 자신의 이해를 형성한다.

분석

마음은 생각하는 것입니다. 마음은 자신의 생각으로 몸의 순간 변화에 대한 개념을 형성합니다. 이 개념이 감정입니다. 이때 감정으로 존재하는 마음이 자기 본래의 기능인 '생각'에 근거하여 감정을 인과의 필연성으로 이해할 때, 이러한 이해를 형성하는 마음이 본질을 '이성'이라 부릅니다. 한편, 자연에 존재하는 모든 것은 자신만의 몸과 그에 대응하는 마음을 갖습니다. 그런데 이 가운데 오직 인간의 마음만이 이성으로 생각하며 이해를 추구합니다. 즉, 인간의 마음은 자신의 개념인 감정을 인과의 필연성으로 이해하며, 더 나아가 그것을 영원무한의 필연성까지 확장해 나갑니다. 그 결과 자신이 형성한 개념인 감정을 최고의 완전성 또는 순수지선 그 자체로 확인합니다.

마음이 자기 개념인 감정에 대한 이해를 자신의 이성에 근거하여 원인과 결과의 필연성으로 형성할 때, 원인에 대한 원인을 영원무한의 필연성으로 확장하기 위해서는 다음과 같은 진실이 분명해야 합니다. 마음의 이성은 공간과 시간의 한계 안에 자신을 가두고 인과의 필연성을 이해하는 것이 아니라, 영원무한 그 자체로 생각하며 이해하는 것이어야 합니다. 물론, 몸의 순간 변화인 감정은 구체적인 공간과 시간 속에서 발생하는 것이 분명합니다. (정확히 말해서 감정이 구체적인 양태로 드러나면 그로부터 공간과 시간의 개념이 생겨납니다. 왜냐하면 감정의 양태가 자신을 이해한 이후 공간과 시간의 개념이 생겨나기 때문입니다. 예를 들어서 우리가 배고픔의 감정을 느낄 때, 어디에서 언제 식사를 할지 결정합니다.) 그리고 몸의 순간 변화에 대한 개념을 형성함으로써 감정으로 존재하는 것이 마음이기 때문에 몸과 동일하게 마음도 구체적인 공간과 시간 속에 존재합니다.

그러나 마음은 몸에 종속되어 생각하는 것이 아닙니다. 마음 자신의 본성인 '사유'에 근거하여 자기원인으로 몸의 순간 변화에 대해 관념을 형성합니다. 마음이 자신의 생각을 원인으로 하여 몸의 순간 변화에 대해서 개념을 형성한다는 사실이 매우 중요합니다. 몸의 순간 변화가 마음으로 하여금 그에 대한 개념을 형성하도록 결정하는 것이 절대 아닙니다. 몸이 자기원인으로 순간 변화를 하면, 그와 동시에 마음도 자기원인으로 몸의 순간 변화에 대한 개념을 형성합니다. 문제는 마음이 자기 스스로 형성한 개념에 대한 이해를 어떻게 하는 것이 올바른 이해냐는 것입니다. 바로 앞에서 언급한 바와 같이 마음은 자기가 형성한 개념인 감정에 대해서 자기가 원인, 즉 '자기원인'입니다. 이 사실만으로 감정으로 존재하는 마음은 이미 능동입니다. 그렇기 때문에 자기원인으로 존재하는 감정은 당연히 자신을 이해함에 있어서 당연히 '자기원인'입니다.

마음이 A라는 감정에 대한 개념을 형성할 때, 감정 A에 관하여 마음은 '자기원인'입니다. 한편, 마음은 자기 사유의 본질인 이성의 힘에 근거하여 원인과 결과의 필연성을 이해합니다. 그런데 마음은 자신의 감정 A에 관하여 자기원인으로 존재하기 때문에 (자기원인이란 '어떤 결과'[감정 A에 대한 개념 형성]에 대하여 '자신이 원인'이라는 뜻이므로) 감정 A에 고유한 인과의 필연성을 자기 안에 본래부터 가지며, 그러한 한에서 감정 A로 존재하는 마음은 자신을 이성으로 이해할 수 있는 능력을 본래부터 자기 안에 가지고 있습니다. 그런데 이 능력은 감정 A에 대한 관념의 형성된 특정 공간과 시간에 갇히지 않습니다. 왜냐하면 이 능력은 마음이 감정 A에 대한 개념을 형성했다는 사실 그 자체 안에 존재하기 때문입니다.

자기원인으로 존재하며 생각하는 마음은 몸의 순간 변화에 대한 개념인 감정을 자기원인으로 형성합니다. 감정은 본래부터 자기원인으로 존재합니다. 그렇기 때문에 자기원인으로 존재하는 감정을 자기원인으로 이해하는 것이 타당합니다. 그리고 이 이해는 공간과 시간의 한계에 갇히지 않습니다. 왜냐하면 마음이 감정에 대한 개념을 형성할 때에 그 기초는 자기원인이지 공간과 시간이 아니기 때문입니다. 한편, 자기원인은 원인과 결과 사이에서 원인의 자리에 있으며 동시에 결과에 대한 이해를 원인으로 이해하는 것입니다. 그렇기 때문에 자기원인으로 존재한다는 것은 '원인에 대한 원인'을 영원무한으로 확충해 나가는 것입니다. 이 사실을 부정하면 자기원인은 결과에 구속되어 더 이상 자기원인으로 존재할 수 없습니다.

어려운 논의 같지만, 우리 몸을 두고 생각해 보면, 쉽게 이해할 수 있습니다. 우리가 몸으로 존재한다는 사실은 우리 마음이 자기원인으로 형성하는 것입니다. 우리 스스로 생각해 보면 우리에게 몸이 있다는 사실은 자명합니다. 그렇기 때문에 우리 자신의 몸에 대한 개념은 마음의 자기원인에 의한 것입니다. 이 사실에 근거하여 마음은 우리 몸의 원인에 대해서 인과의 필연성으로 이해할 수 있습니다. 그것은 바로 엄마아빠의 몸이 존재한다는 사실입니다. 그리고 이 사실은 다시 인과의 필연성으로 이해해야 우리 마음은 자기원인으로 존재합니다. 그 결과 우리는 다시 엄마아빠의 몸을 이해합니다. 이 이해는 영원무한의 반복입니다.

이처럼 우리 마음은 자기원인에 근거하여 엄마아빠의 몸이 영원무한으로 존재하며 이 존재로부터 지금 나의 몸이 존재하고 있다는 사실을 영원무한의 필연성으로 이해합니다. 방금 우리는 우리 자신의 몸을 자기원인으로 이해하는 우리 자신의 마음에 근거하여 엄마아빠의 몸이 영원무한으로 존재한다는 사실을 이해했습니다. 이 이해는 공간과 시간의 한계에 의존한 것이 아닙니다. 지금 존재하는 우리 자신의 몸에 대한 이해를 우리 마음의 자기원인에 근거하여 형성한 결과 영원무한의 필연성으로 존재하는 엄마아빠의 몸을 이해했습니다. 여기에는 절대적으로 우연성이 존재하지 않습니다. 이로부터 지금 나의 몸이 영원무한의 필연성으로 생겨났음을 이해합니다.

우리 마음이 우리 자신의 몸에 대한 이해를 영원무한의 필연성으로 이해하는데 성공하면, 우리 몸의 순간 변화에 대한 개념을 형성하는 마음이 그 변화에 대한 이해를 영원무한의 필연성으로 형성하는 것은 지극히 당연합니다. 몸의 생김이 영원무한의 필연성이라면, 생김의 몸으로 놀이(몸의 순간 변화)를 하는 것이기 때문에 몸-놀이의 감정도 당연히 영원무한의 필연성을 본성으로 갖습니다. 이렇게 우리 스스로 몸-생김과 몸-놀이를 일관하는 영원무한의 필연성에 대한 인식이 분명할 때, 우리는 자연의 모든 몸과 그 모든 몸의 순간 변화를 영원무한의 필연성으로 이해할 수 있게 됩니다. 왜냐하면 자연의 모든 몸은 생겨난 몸이며, 생겨난 몸으로 놀이하기 때문입니다.

다시 우리의 논의로 돌아갑니다. 생각하는 마음은 자기원인으로 생각한다는 사실, 그렇기 때문에 자기 몸 또는 자기 몸의 순간 변화에 대한 개념을 형성하는 마음이 자기원인으로 자기의 개념을 이해하는 것은 자연스러운 것입니다. 그리고 이 이해는 영원무한의 필연성을 향합니다. 왜냐하면 마음이 자기원인으로 존재하기 때문입니다. 자기원인으로 존재하는 마음이 자기원인으로 생각하며 인과의 필연성을 이해하면, 자기원인에 고유한 본성에 근거하여 인과의 필연성을 영원무한 그 자체로 [공간과 시간의 영원무한의 지속이 절대 아닙니다.] 이해합니다. 그 결과 마음 스스로 자기 개념에 대한 이해를 영원무한의 필연성으로 확인했다는 결정을 자기 스스로 판단하면, 그것이 곧 영원무한의 필연성에 대한 이해입니다.

지금까지 전개된 감정과학의 논의를 다음의 정리를 통해서 확인해 보겠습니다.

제1부 정의 1. 자기원인으로 존재하는 감정

《자기원인》에 관하여, 나는 '자기 안에 자기의 존재를 본질로 가지고 있는 것' 또는 '자기의 생각 안에서 지금 자신이 존재하고 있다는 사실을 자기 스스로 명명백백하게 이해하는 것'이라고 이해한다.

자기원인에는 존재가 본성으로 속합니다. 왜냐하면 어떤 결과가 존재한다면 당연히 그것을 산출하는 원인이 그에 앞서 존재하기 때문입니다. 다음으로 이 원인이 존재하기 위해서는 당연히 그에 앞선 또 다른 원인이 존재해야 합니다. 이런 식으로 계속 생각해 나아가면 원인의 존재는 영원무한의 필연성이며 당연히 그것은 영원무한의 존재가 본성으로 속합니다. [앞에서 논의한 엄마아빠의 이야기로 이해할 수 있습니다.] 그러므로 자기원인에는 반드시 존재를 본성으로 갖습니다. 이 존재에 영원무한이 본성으로 속한다는 사실을 아래의 정리가 확인합니다.

제1부 정의 8: 감정의 영원성

《영원성》에 관하여, 나는 존재 그 자체를 뜻한다. 왜냐하면 존재 그 자체는 '영원'에 대한 개념에 근거하여 이해되기 때문이다.

시작은 우리 몸에 대한 우리 마음의 생각입니다. 그러나 그 결과 우리가 깨닫는 것은 영원무한의 필연성으로 존재하는 자기원인입니다. 영원무한의 필연성을 우리는 '신'으로 정의합니다. 그런데 다시 강조하지만, 이 사실은 자기원인으로 생각하는 지금 우리 자신의 마음이 자기 안에서 자기 스스로, 즉 자기원인으로 확인했습니다. 우리의 마음이 우리의 몸에 나아가 신의 존재를 확인하고 신에 의해서 지금 우리 자신의 몸이 존재하도록 결정되었다는 사실을 이해했습니다. 따라서 아래의 정리들은 자기원인으로 생각하는 우리의 마음이 우리 자신의 몸에 대해서 자기원인으로 이해한 것을 요약합니다. 당연히 감정에 대한 이해에도 적용됩니다.

제1부 정리 14: 감정, 신의 존재 증명

오직 신(神)만이 존재할 수 있으며 존재할 수 있다고 이해되는 실체이다. 신 이외 그 어떤 실체도 존재하지 않는다.

제1부 정리 15: 감정의 영원한 필연성

모든 것은 신 안에 있다. 신 없이는 어떤 것도 존재할 수 없으며 인식될 수도 없다.

제1부 정리 16: 감정의 영원한 필연성

신의 본성의 필연성으로부터 무한한 것이 무한한 방식으로 생겨난다. 즉, 무한한 지성의 범위 안에서 모든 것들이 무한한 방식으로 무한하게 생겨난다.

이 지점에서 다음과 같은 질문이 제기됩니다.

자기원인으로 존재하는 나의 마음이 어떻게 신을 이해할 수 있는가?

이 물음에 대한 답은 이미 앞에서 했습니다. 자기원인의 본성이 영원무한이기 때문에 자기원인으로 생각하는 마음이 자기가 형성한 개념을 자기원인으로 이해하면, 그렇게 이해하는 마음의 본성은 영원무한이기 때문에 당연히 자기원인의 마음은 영원무한의 필연성으로 자기 개념에 대한 이해를 형성합니다. 그런데 우리의 마음이 영원무한의 필연성으로 어떤 개념(감정)을 형성한다는 것이 무엇인지 이미 알고 있습니다. 그것은 바로 '신을 향한 지적인 사랑'입니다. 따라서 아래에 제시된 세 개의 정리는 인간 마음의 본질이 영원무한이라는 사실, 그리고 이 사실에 근거하여 감정(개념)에 대한 이해를 형성하는 것은 사실상 신을 향한 지적인 사랑이라는 것을 확인합니다.

제5부 정리 23: 영원무한의 생명과 사랑

인간의 마음은 몸과 함께 절대적으로 파괴될 수 없으며, 영원한 어떤 것이 그 가운데 남아 있다.

제5부 정리 15: 신을 향한 지적인 사랑

자기 자신과 자신의 감정을 명석하고 판명하게 이해하는 사람은 신을 사랑하며, 자기 자신과 자신의 감정을 더 많이 이해할수록 더욱 더 신을 사랑하게 된다.

제5부 정리 16: 신을 향한 지적인 사랑

자기이해의 감정이 형성하는 신을 향한 지적인 사랑은 마음 안에서 가장 중요한 자리를 갖는다.

그러므로 이상의 모든 논의를 요약하면 지금 우리가 분석하는 정리는 진리의 필연성으로 존재합니다.

마음이 영원성 자체로 존재하며 생각하는 것인 한에서 세 번째 종류의 인식은 오직 이 마음만을 원인으로 하여 자신의 이해를 형성한다.

지금 나의 마음 안에 신의 마음이 존재하며 신의 마음에 의해서 지금 나의 마음이 생각하며 이해하기 때문에, 나는 나의 몸과 나의 감정 더 나아가 세상 모든 몸과 감정들을 신을 향한 지적인 사랑으로 이해할 수 있습니다. 이 이해로부터 우리는 최상의 자기만족 또는 최상의 축복을 누리게 됩니다. 이 논점을 스피노자는 주석으로 설명합니다.

> 그러므로 각자가 이러한 종류의 인식에서 훌륭하면 할수록 더욱더 자신과 신을 의식한다. 즉 그는 그만큼 더 완전하고 행복한데 …
>
> _스피노자 『에티카』, 제5부 정리 31, 주석.
> /강영계 번역(p.356.).

제5부 정리 32: 신을 향한 지적인 사랑

우리가 세 번째 종류의 인식으로 감정을 이해할 때, 이 이해로부터 우리는 기쁨을 누리게 된다. 그리고 이 기쁨은 신에 대한 개념을 자신의 원인으로 이해한다.

분석

우리 몸은 무한한 방식으로 무한히 변화합니다. 우리 마음은 그 모든 변화에 대한 개념을 형성합니다. 그리고 이 마음은 다음과 같은 능력을 본래부터 가지고 있습니다.

제5부 정리 14: 감정의 직관과학

마음은 모든 몸의 변화, 즉 몸에 대한 상상(개념)으로서 '감정'을 신의 개념에 연결시킬 수 있다.

마음은 자신의 감정 및 자기가 경험하는 모든 감정을 그 각각에 고유한 본성의 필연성으로 이해하는 이성의 힘을 가지고 있습니다. 이 힘에 근거하여 마음이 모든 감정을 영원무한의 필연성으로 이해함으로써 모든 감정을 최고의 완전성 안에서 순수지선으로 이해하면, 이 이해가 곧 "'감정'을 신의 개념에 연결"하는 것입니다. 이와 동시에 마음은 지금 자신이 이해한 감정이 신의 존재를 증명하는 성스러움 그 자체라는 사실을 확인합니다. 그 결과 마음은 이 이해를 형성하는 자신에게서 최상의 기쁨을 누리게 됩니다.

이처럼 감정에 대한 개념을 형성하는 마음이 이성의 힘에 근거하여 영원무한의 필연성으로 자신의 감정을 이해하는 것이 감정과학의 직관과학입니다. 간단히 말해서 감정의 자기이해입니다. 이 이해를 '신을 향한 지적인 사랑'으로 규정하는 이유는 무엇보다도 영원무한의 필연성 자체가 최고의 완전성으로 존재하는 최고의 존재이며, 우리는 그 존재를 신으로 정의하기 때문입니다. 다음으로 우리는 자기이해를 통해서 신의 존재를 명백하게 이해하며, 이 이해와 동시에 최고의 기쁨을 누리기 때문에 신을 사랑하지 않을 수 없습니다. 따라서 감정의 자기이해가 직관과학에 기초하여 감정의 진실을 영원무한의 필연성으로 이해할 때, 이 이해는 신을 향한 지적인 사랑입니다.

아래의 정리들은 위의 논점들을 요약합니다.

제5부 정리 27: 감정과학의 행복

마음은 세 번째 종류의 인식에 의해서 최고의 자기만족을 누릴 수 있다.

제5부 정리 30: 감정으로 존재하는 신

우리의 마음이 자신과 자기 몸을 영원의 상(相) 아래에서 이해하는 한에서 마음은 자신과 자기 몸이 신 안에 존재하며 신에 의해서 생각된다는 사실을 이해한다.

그러므로 우리가 세 번째 종류의 인식으로 감정을 이해할 때, 이 이해로부터 우리는 가장 완전하며 가장 큰 기쁨을 누리게 됩니다. 그리고 이 기쁨은 신에 대한 개념을 자신의 원인으로 이해합니다. 즉, 영원무한의 필연성에 의해서 지금 자신이 느끼는 감정이 존재하도록 결정되었다는 사실을 이해함으로써 실질적으로 자신의 감정이 신의 존재를 증명한다는 사실을 깨닫습니다. 따라서 마음은 이러한 방식으로 자연의 모든 감정을 이해하기를 욕망합니다.

제5부 정리 33: 영원무한의 사랑

세 번째 종류의 인식에서 생기는 신을 향한 지적인 사랑은 영원하다.

분석

신을 향한 지적인 사랑은 영원무한의 필연성으로 존재하는 마음이 영원무한의 필연성으로 자신의 감정을 이해하는 것입니다. 오직 이 이해를 통해서 마음(감정)은 최상의 행복을 느낍니다. 왜냐하면 마음은 이 이해를 통해서 자신의 영원무한을 확인하기 때문입니다. 그러한 한에서 감정을 느끼며 감정으로 존재하는 마음은 신을 향한 지적인 사랑만을 행복으로 추구합니다. 따라서 영원무한 그 자체인 신에 대한 개념에 기초하는 세 번째 종류의 인식에서 생기는 것으로서 '신을 향한 지적인 사랑'은 영원합니다.

스피노자는 이 주제를 보충으로 확인합니다.

세 번째 종류의 인식에서 신에 대한 지적 사랑이 필연적으로 생긴다. 왜냐하면 이러한 종류의 인식에서 (제5부의 정리 31에 의하여) 원인으로서의 신의 관념을 동반하는 기쁨, 즉 (정서의 정의 6에 의하여) 현존하는 것으로 표상되는 한에서의 신에 대한 사랑이 아니라, (제5부 정리 29에 의하여) 신을 영원하다고 인식하는 한에서의 신에 대한 사랑이 생긴다. 나는 이것을 신에 대한 지적 사랑이라고 부른다.

_스피노자 『에티카』, 제5부 정리 32, 보충.
/강영계 번역(p.349~350.).

제5부 정리 34: 감정과학을 연마하는 이유

오직 몸이 지속되는 동안에 한하여 마음은 수동적 감정에 종속되어 오히려 그 감정에 의해서 통제될 수 있다.

분석

위 정리에 근거하여 '몸'을 학문의 방해로 주장한다면, 이것은 스피노자의 『에티카』를 매우 심각하게 왜곡한 것입니다. 마음은 자기 몸을 사랑하며 항상 고마워합니다. 왜냐하면 마음은 자기의 몸 덕분에 자기 존재의 진실을 이해할 수 있기 때문입니다.

제2부 정리 13: 몸을 떠나지 않는 마음

인간의 마음을 구성하는 개념의 대상은 몸이다. 즉, 신의 속성인 확장되는 몸의 특정한 양태로서 현실적으로 존재하는 몸 이외 그 어떤 것도 아니다.

제2부 정리 23: 마음의 몸

마음은 몸의 변화에 대한 개념을 지각하는 한에서만 자기 자신을 알 수 있다.

마음은 절대적으로 몸을 떠날 수 없습니다. 몸을 떠나서 그 어떤 생각도 할 수 없습니다. 정확히 말하자면 마음은 몸의 순간 변화에 대한 개념을 형성함으로써 자신과 자기 몸의 존재를 확인합니다. 더 나아가 이 개념에 근거하여 마음은 자기 몸과 교차하는 모든 몸 및 그 모든 몸의 순간 변화인 감정의 존재를 확인합니다.

제2부 정리 15: 지금 나의 마음

인간 마음의 현실적 존재를 구성하는 개념은 단순하지 않으며 매우 많은 개념들이 복합적으로 이루어져 있다.

제2부 정리 16: 소중한 나의 몸

인간의 몸이 자기 외부의 몸에 의해서 변화하면 마음은 그에 대한 구체적인 개념을 형성하는데, 이 개념은 반드시 자기 몸의 본성과 함께 자기에게 영향을 준 외부 몸의 본성을 포함한다.

문제는 여기에서 발생합니다. 현실적으로 존재하는 몸 또는 그 몸의 순간 변화에 대한 개념을 형성하는 마음이 몸의 유한성 또는 감정의 유한성으로 인하여 자기 개념에 대한 이해를 자기 본성에 고유한 자기원인이 아닌 외부 원인에 의존하여 형성하게 됩니다. 그렇기 때문에 마음이 자신의 개념을 이해함에 있어서 자기원인이 아닌 외부 원인에 의존하게 되는 이유는 엄밀히 말해서 몸과 마음에 있지 않습니다. 현실적으로 존재하는 몸은 자연 안에 무한한 방식으로 존재하는 몸과의 교차를 통해서 유한성에 놓이기 때문에 얼마든지 서로에게 영향을 주고받으며, 그러한 한에서 몸의 순간 변화에 대한 개념을 형성하는 마음은 그 변화에 대한 이해를 유한성으로 이해할 수 있습니다.

아래의 정의를 검토해 보겠습니다.

> 제1부 정의 2: 감정의 유한성
>
> 우리는 '어떤 것'을 '유한하다.'라고 말할 수 있다. 그것이 자기와 동일한 본성을 가진 또 다른 어떤 것에 의해서 제한될 때, 우리는 그것을 유한한 것이라고 말할 수 있다. 예를 들면, 몸은 유한한 것이라고 우리가 말할 수 있는데, 그 이유는 우리가 얼마든지 지금의 몸 보다 더 큰 몸을 생각할 수 있기 때문이다. 이와 같은 방식으로 우리는 생각의 유한성을 이해할 수 있다. (왜냐하면 우리는 얼마든지 지금의 생각 보다 더 큰 생각을 생각할 수 있기 때문이다.) 그러나 몸은 생각에 의해서 제한되지 않으며, 생각도 또한 몸에 의해서 제한되지 않는다. (그러므로 몸은 생각에 의해서 유한한 것이 되지 않으며, 그 반대도 마찬가지이다.)

지금 나의 몸은 다른 몸과의 유한성에 있기 때문에 얼마든지 제한될 수도 있고 제한할 수도 있습니다. 이 모든 것은 결국 몸의 순간 변화인 감정으로 드러나고 마음은 그에 대한 개념을 형성합니다. 그렇기 때문에 마음이 감정에 대한 개념을 형성할 때 그 안에는 유한성의 개념도 내포합니다. 이 경우 마음이 자신의 개념인 감정을 이해함에 있어서 얼마든지 유한성으로 이해할 수 있습니다. 즉, 몸의 순간 변화가 몸 그 자체의 본성이 아닌 외부의 몸에 의해서 결정되었다고 생각하는 것입니다. 더 나아가 이 생각에 근거하여 외부 몸을 생각하게 되는데, 이 경우 외부의 몸 그 자체의 본성에 대한 이해는 아닙니다. 마치 내가 어떤 음식을 싫어한다고 해서 그 음식의 본성이 나쁜 것은 아닌 것과 같은 이치입니다.

이처럼 마음이 자기 몸의 순간 변화 및 그 변화 안에 있는 외부의 몸을 이해함에 있어서 그 자체의 본성 및 그 순간 변화에 고유한 본성을 영원무한의 필연성으로 인식하는 것이 아니라 외부의 몸에 의해서 결정되었다고 생각하고 다시 그것으로 외부의 몸을 이해하는 것은 능동이 아닌 수동입니다. 그러한 한에서 이 이해는 능동 내지는 타당한 인식이 아닙니다. 왜냐하면 몸 그 자체 및 몸의 순간 변화 그 자체에 고유한 본성의 필연성을 이해하는 것이 아니기 때문입니다.

그리고 다시 강조하지만 이러한 이해는 몸이나 마음의 결함에서 비롯되는 것이 아니라 몸의 유한성으로부터 자연적으로 생기는 것입니다. 이 사실을 다음의 정리를 통해서 확인할 수 있습니다.

제2부 정리 29: 감정 이해의 오류

인간 몸의 그 어떤 변화의 개념에 대한 개념은 인간 마음의 타당한 인식을 포함하지 않는다.

제2부 정리 30: 생명과 사랑의 몸

우리는 우리 몸의 지속에 관하여 매우 타당하지 않은 인식만을 가질 뿐이다.

제2부 정리 31: 생명과 사랑의 몸

우리는 우리의 외부에 있는 특정한 몸들의 지속에 관하여 매우 타당하지 못한 인식만을 가질 수 있다.

몸은 다른 몸과의 교차를 통해서 유한성으로 존재하며, 그렇기 때문에 마음도 얼마든지 이 방식으로 몸을 이해할 수 있습니다. 그러나 이 인식을 몸 그 자체의 본성을 인식하는 것이 아니라 외부의 몸을 원인으로 생각하는 외부 원인에 의존한 것이므로 수동이며, 그러한 한에서 타당한 인식이 아닙니다. 그러나 「제1부 정의 2: 감정의 유한성」의 마지막 부분을 다시 봐야 합니다.

> 그러나 몸은 생각에 의해서 제한되지 않으며, 생각도 또한 몸에 의해서 제한되지 않는다.

마음은 얼마든지 몸의 유한성으로 인해 그와 동일한 방식으로 생각할 수 있지만, 엄격히 말해서 마음은 몸의 유한성에 종속되거나 영향 아래 놓여 생각하지 않습니다. 이 사실이 명백하기 때문에 몸의 유한성으로 몸을 이해하는 마음의 인식을 수동 또는 타당하지 않은 것이라고 분명하게 말할 수 있고, 더 나아가 마음의 타당한 인식이 무엇인지 확실하게 제시할 수 있습니다. 마음은 자기 사유의 능동성 또는 자기원인의 사유에 근거하여 모든 몸과 그 모든 몸의 순간 변화를 영원무한의 필연성으로 이해할 수 있습니다. 자기원인은 인과의 필연성을 이해함에 있어서 오직 원인의 자리에 존재하기 때문에 인과의 필연성을 영원무한으로 이해합니다.

이 사실을 스피노자는 다음과 같이 확인합니다.

> **제2부 정리 32: 감정의 자기이해**
> 모든 개념은 신에 관련되는 한 참이다.

제2부 정리 34: 감정의 진실

우리 안에서 절대적이거나 타당하며 완전한 모든 개념은 참이다.

몸에 대한 개념 및 몸의 순간 변화에 대한 개념을 형성하는 마음이 인과의 필연성으로 생각하는 이성의 힘에 근거하여 그 각각에 고유한 본성을 영원무한의 필연성으로 이해하면, 이 이해가 곧 모든 개념을 신에게 관련되게 하는 것입니다. 왜냐하면 신이 곧 영원무한의 필연성 그 자체이기 때문입니다. 이 방식으로 마음이 자기 개념에 대한 이해를 확인하면, 빛이 자신의 빛으로 자기 존재를 증명하는 것과 같이 마음은 자기이해를 통해서 영원무한의 필연성을 자신의 개념에서 확인하고, 그 즉시 그것으로 자기 이해의 진리를 증명합니다. 따라서 '우리 안에서 절대적이거나 타당하며 완전한 모든 개념은 참이다.'라는 결론이 필연적으로 나옵니다.

마음은 절대적으로 현실적으로 존재하는 지금 자신의 몸을 떠날 수 없습니다. 몸의 유한성을 부정할 수 없습니다. 즉, 지금 자신의 몸이 존재하는 공간과 시간을 초월하여 또 다른 몸을 상상할 수 없습니다. 이 사실을 스피노자는 다음과 같이 확인합니다.

제5부 정리 21: 소중한 나의 몸

마음은 오직 몸이 지속되는 동안에만 무언가를 상상하거나 지난 일을 기억할 수 있다.

마음은 몸 또는 몸의 순간 변화로서 감정을 '지속'으로 이해한다거나 '유한성'에 따른 외부 원인의 관념으로 이해할 수 있습니다. 그러나 이를 근거로 우리는 마음에 고유한 이성의 힘을 부정할 수 없고, 더 나아가 마음이 자기 인식을 타당하지 못하게 되는 원인으로 몸을 지목할 수도 없습니다. 왜냐하면 앞에서 논의한 『제2부』의 「정리 32/ 34」에 근거하여 다음의 정리가 영원의 필연성으로 연역되기 때문입니다.

제5부 정리 22: 영원의 상(相) 아래에서

그럼에도 불구하고 신 안에는 필연적으로 어떤 인간의 몸의 본질을 영원의 상(相) 아래에서 표현하는 개념이 있다.

몸이 지속되는 동안에 한하여 마음은 수동적 감정에 종속되고 더 나아가 그 감정에 의해서 통제될 수 있지만, 얼마든지 마음은 몸의 존재 그 자체 및 몸의 순간 변화에 고유한 본성을 영원무한의 필연성으로 인식할 수 있습니다. 따라서 정말 중요한 것은 마음이 자기 본래의 능력을 확인시켜주는 감정과학을 연마함으로써 자기가 형성할 수 있는 올바른 인식이 무엇인지 스스로 깨닫는 것입니다. 수동적인 인식도 몸으로 살아가기 때문에 발생하는 것이라서 좋은 것이지만, 능동적 인식은 그 보다 더 좋은 것입니다. 마음은 몸을 탓하기보다 자기 스스로 형성할 수 있는 가장 좋은 인식이 무엇인지 배워야 하는 이유가 여기에 있습니다.

현실적으로 존재하는 몸의 유한성을 떠나서 마음은 그 어떤 개념을 형성할 수도 없습니다. 이 경우 마음은 신을 이해하기 위한 그 어떤 개념을 형성할 수 없게 되므로 자신이 누릴 수 있는 최상의 자기만족 또는 기쁨도 느낄 수 없게 됩니다. 한편, 마음이 자기 몸의 유한성을 근거로 다른 몸의 존재를 부정하려 한다면, 그만큼 마음은 자신이 형성할 수 있는 개념의 양이 줄어들게 됩니다. 이는 실질적으로 신을 향한 인식이 감소하는 것이며, 그만큼 마음은 자기만족의 기쁨을 느낄 수 없게 됩니다. 이는 슬픔이기 때문에 마음은 절대적으로 몸의 유한성을 무한한 방식으로 무한하게 즐기기를 바랍니다. 그만큼 마음은 신을 향한 지적인 사랑을 무한하게 누릴 수 있습니다.

그러므로 몸의 지속 또는 몸의 유한성은 몸으로 살아가는 지금 우리에게 큰 축복입니다. 우리 자신의 몸은 유한성에 근거하여 무한한 몸과 교차하게 되며 그에 비례하여 우리 몸의 순간 변화 또한 무한합니다. 유한성의 몸이 뜻밖에 무한을 즐기게 됩니다. 이때 마음이 이성의 힘에 근거하여 무한한 몸의 양태 및 무한한 몸의 순간 변화에 나아가 그 각각에 고유한 본성의 필연성을 영원무한으로 이해하면, 마음은 자기 존재를 영원무한으로 확인하게 됩니다. 바로 이 지점에서 마음은 자기 존재가 사실상 신의 마음 그 자체라는 사실을 깨닫게 되며, 신의 존재가 자기 밖에서 구하는 것이 아님을 뉘우치게 됩니다. 끝으로 아래의 두 정리를 참고하면 좋습니다.

제5부 정리 24: 감정과학의 기쁨

우리가 각각의 감정들을 더 많이 이해할수록 우리는 그만큼 신을 이해한다.

제5부 정리 32: 신을 향한 지적인 사랑

우리가 세 번째 종류의 인식으로 감정을 이해할 때, 이 이해로부터 우리는 기쁨을 누리게 된다. 그리고 이 기쁨은 신에 대한 개념을 자신의 원인으로 이해한다.

제5부 정리 35: 신의 자기 사랑

신은 무한한 지적인 사랑으로 자신을 사랑한다.

분석

몸의 순간 변화인 감정에 대한 개념을 형성하는 마음이 자기이해의 직관과학으로 감정에 고유한 본성의 필연성을 영원무한으로 이해하는 것이 곧 신의 자기사랑입니다. 왜냐하면 인간의 마음이 자기이해의 직관과학으로 감정을 영원무한의 필연성으로 인식하는 한에서 인간의 마음은 영원무한 그 자체로 존재하는 신의 마음과 본질적으로 일치하기 때문입니다. (이와 관련된 자세한 논의는 바로 앞의 정리에 대한 분석에서 충분히 제시되었습니다.) 그러므로 신을 향한 지적인 사랑은 사실상 신의 자기이해 또는 신의 자기사랑입니다. 참고로 이 주제는 이어지는 정리에서 확인할 수 있습니다.

제5부 정리 36: 신의 사랑을 받는 방법

신의 존재를 무한 그 자체의 존재가 아닌 영원의 상(相) 아래에서 이해하는 지금 내 마음의 본질을 통해서 설명하는 한에서, 신을 향한 지적인 사랑을 형성하는 나의 마음은 신이 자신을 사랑하는 신의 사랑 자체이다. 즉, 지금 내 마음이 신을 향한 지적인 사랑으로 존재한다는 것은 신이 자신을 사랑하는 무한한 사랑의 일부이다.

분석

우리 자신이 자신의 감정 및 자연의 모든 감정을 영원무한의 필연성으로 이해하는 것은 지금 우리 마음으로 존재하는 신이 자신을 사랑하는 것입니다. 관련된 자세한 논의는 「정리 34」에서 충분히 다루었습니다. 이러한 맥락에서 내 마음이 형성하는 신을 향한 지적인 사랑이 신의 자기 사랑이며, 신의 자기 사랑이 곧 신이 인간을 사랑하는 것입니다. 왜냐하면 나의 마음이 직관과학으로 신을 사랑하는 순간이 '나 = 신'의 순간이므로 신의 자기 사랑이 곧 나를 향한 신의 사랑이기 때문입니다. 그러므로 신의 사랑을 신을 향한 지적인 사랑 밖에서 구해서는 안 됩니다. 우리가 감정에 대한 타당한 인식을 형성하면, 그 순간이 신의 사랑을 받는 거룩하고 성스러운 순간입니다.

참고로 마음이 자기이해의 직관과학으로 감정에 대한 타당한 인식을 형성함으로서 자기 존재의 진실을 신의 본성으로 이해할 때, 이 이해를 퇴계 이황은 '경'(敬)으로 규정합니다.

제5부 정리 37: 이해하는 사랑의 힘

자연 안에 존재하는 그 어떤 감정도 신을 향한 지적인 사랑에 대립되지 않으며 파괴할 수 없다.

분석

신을 향한 지적인 사랑은 실질적으로 자연 안에 존재하는 감정의 무한 양태를 본성에 고유한 영원무한의 필연성으로 인식하는 것이므로 그 어떤 감정도 신을 향한 지적인 사랑에 대립되지 않습니다. 만약 이 사실을 부정하면 영원무한의 필연성을 어기며 우연적으로 존재하는 감정을 인정해야 하는데, 이 경우 그 감정은 자신의 완전성과 순수지선을 이해할 수 없게 됩니다. 이것은 감정 자신에게 슬픔이기 때문에 자연 안에 존재하는 그 어떤 감정도 신을 향한 지적인 사랑에 대립되지 않습니다. 이 사실로부터 자연 안에 존재하는 그 어떤 감정도 신을 향한 지적인 사랑을 파괴할 수 없다는 결론이 필연적으로 나옵니다. 어떤 감정이 신을 향한 지적인 사랑을 파괴한다면, 이것은 실질적으로 자기 스스로 자기 존재를 부정하는 것이므로 터무니없는 것입니다. 이러한 맥락에서 자살은 신을 향한 지적인 사랑을 파괴하는 것이 아니라 자기이해의 부재로 인해 발생하는 비극일 뿐입니다.

제5부 정리 38: 영원의 생명을 누리는 축복

나의 마음이 두 번째 인식인 이성과 세 번째 인식인 자기이해의 직관과학으로 감정을 이해하면 할수록 그에 비례하여 나의 마음은 나쁜 감정들로부터 영향을 덜 받게 되며, 죽음에 대해서도 덜 두려워하게 된다.

분석

두 번째 인식인 이성은 세 번째 인식인 자기이해의 직관과학을 위한 기초입니다. 이성이 잘 인도되면 반드시 자기이해의 직관과학으로 나아갑니다. 몸의 순간 변화에 대한 개념을 형성함으로써 감정으로 존재하는 마음이 이성의 힘에 근거하여 인과의 필연성으로 자신의 감정을 이해할 때, 이 이해를 영원무한으로 확장하면 마음은 결국 영원무한의 필연성으로 자신을 이해하게 됩니다. 마음이 지금 자신의 감정에 나아가 그 존재가 영원무한의 필연성에 의해서 존재하도록 결정되었다는 사실을 이해한다는 것은 마음 스스로 자기 감정을 최고의 완전성 또는 순수지선 그 자체로 이해한다는 것을 뜻합니다.

감정을 인과의 필연성으로 이해하는 두 번째 인식인 '이성'이 공간과 시간의 한계에 갇히지 않는 영원성 그 자체로 존재하는 자기원인의 사유에 근거하여 인과의 필연성을 영원무한으로 확인할 때, 이 이해가 곧 세 번째 종류의 인식으로서 자기이해의 직관과학입니다. 이 이해가 '직관'(直觀: Intuitiva)인 까닭은 영원무한의 필연성에 대한 인식은 자기가 자기 안에서 형성하기 때문입니다. 이 이해를 우리가 '과학'(Scientia)으로 명명하는 이유는 그 기초가 영원무한의 필연성이기 때문입니다. 과학의 기초가 '우연'이라면 우리는 믿을 수 없습니다. 감정에 대한 이해를 영원무한의 필연성으로 자명하게 인식하는 학문이 감정과학 또는 자기이해의 직관과학입니다.

이러한 방식으로 나의 마음이 자신의 감정 및 자연의 모든 감정을 이해하면 할수록 그에 비례하여 나의 마음은 자연의 모든 감정을 순수지선으로 이해하게 됩니다. 그 결과 자연 안에 나쁜 감정은 본래 없다는 확고부동한 믿음을 갖게 됩니다. 나의 마음은 이 믿음에 근거하여 자연 안에 무한히 존재하는 감정에 나아가 그 각각에 고유한 본성을 영원무한의 필연성으로 이해하며, 다시 자신의 믿음을 견고하게 합니다. 이러한 맥락에서 지금 우리가 분석하고 있는 정리를 이해해야 합니다.

나의 마음이 두 번째 인식인 이성과 세 번째 인식인 자기이해의 직관과학으로 감정을 이해하면 할수록 그에 비례하여 나의 마음은 나쁜 감정들로부터 영향을 덜 받게 되며

여기에서 말하는 '나쁜 감정'은 자연 안에 존재하는 감정 가운데 좋은 감정과 나쁜 감정이 있다는 뜻이 절대 아닙니다. 마음이 자기이해의 직관과학에 근거하여 감정의 본성을 이해하면, 모든 감정은 다 좋은 감정입니다. 신의 존재를 증명하는 성스러운 감정입니다. 그렇기 때문에 이 정리에 등장하는 나쁜 감정은 실질적으로 감정에 대한 타당하지 못한 인식을 가리킬 뿐입니다. 이러한 맥락에서 보면, 마음이 이성과 직관과학으로 감정을 이해하는 한에서 이 이해는 당연히 감정의 순수지선을 이해하기 때문에 나쁜 감정들로부터 영향을 받지 않습니다. 그리고 이 결론은 바로 앞의 정리에 근거하여 보아도 당연합니다.

제5부 정리 37: 이해하는 사랑의 힘

자연 안에 존재하는 그 어떤 감정도 신을 향한 지적인 사랑에 대립되지 않으며 파괴할 수 없다.

마음이 감정에 대한 이해를 자기이해의 직관과학으로 확립하는 한 이 이해는 그 어떤 것에 의해서도 파괴되지 않습니다. 따라서 나의 마음이 두 번째 인식인 이성과 세 번째 인식인 자기이해의 직관과학으로 감정을 이해하면 할수록 그에 비례하여 나의 마음은 나쁜 감정들로부터 영향을 덜 받게 됩니다.

끝으로 우리가 다룰 주제는 '죽음'에 대한 것입니다. 그러나 이 주제는 이미 다루었습니다.

제5부 정리 23: 영원무한의 생명과 사랑

인간의 마음은 몸과 함께 절대적으로 파괴될 수 없으며, 영원한 어떤 것이 그 가운데 남아 있다.

제5부 정리 29: 감정과학의 논리

마음이 영원의 상(相) 아래서 감정을 이해한다고 할 때, 이 사실은 공간과 시간의 한계 안에서 몸을 생각하는 마음에서 나오는 것이 아니라 몸의 본질을 영원의 상(相) 아래서 이해하는 마음에서 나온다.

제5부 정리 30: 감정으로 존재하는 신

우리의 마음이 자신과 자기 몸을 영원의 상(相) 아래에서 이해하는 한에서 마음은 자신과 자기 몸이 신 안에 존재하며 신에 의해서 생각된다는 사실을 이해한다.

제5부 정리 31: 신의 마음 = 나의 마음

마음이 영원성 자체로 존재하며 생각하는 것인 한에서 세 번째 종류의 인식은 오직 이 마음만을 원인으로 하여 자신의 이해를 형성한다.

마음이 감정에 대한 이해를 신을 향한 지적인 사랑, 즉 자기이해의 직관과학으로 이해하는 한에서 마음은 모든 몸과 감정이 영원무한 그 자체로 존재하는 신의 몸과 감정으로 존재한다는 사실을 이해하며 그와 동시에 자신이 신의 마음으로 존재한다는 사실을 이해합니다. 마음은 자신을 포함해서 모든 것이 신의 본성에 고유한 영원무한의 생명으로 존재하고 있다는 사실을 이해합니다. 그러므로 마음이 두 번째 인식인 이성과 세 번째 인식인 자기이해의 직관과학으로 감정을 이해하면 할수록 그에 비례하여 나쁜 감정들로부터 영향을 덜 받게 되며, 죽음에 대해서도 덜 두려워하게 됩니다.

제5부　정리 39: 소중한 나의 몸

나의 몸이 가장 많은 활동을 할 수 있게 된다면, 나의 마음은 영원성 그 자체로 존재하게 된다.

분석

마음이 자기 몸의 순간 변화인 감정에 대한 이해를 영원무한의 필연성으로 확인하면, 마음에게 자기 몸의 순간 변화는 순수지선입니다. 몸의 순간 변화는 무한한 방식으로 무한하지만 마음은 그 모든 무한 변화를 순수지선으로 믿고 배웁니다. 그 결과 마음은 몸의 순간 변화를 절대적인 순수지선으로 믿게 됩니다. 이 믿음은 마음으로 하여금 순간 변화하는 몸 그 자체를 절대적인 순수지선으로 믿게 합니다. 몸의 순간 변화가 절대적인 순수지선이라면, 당연히 변화의 주체인 몸도 절대적으로 순수지선입니다.

이 믿음이 분명할 때 마음은 그 어떤 이유로도 몸을 부정하지 않습니다. 몸의 현상이나 행동이 어떤 모습으로 드러난다고 해도, 마음은 몸의 순수지선을 믿습니다. 예를 들어서 몸이 겪는 노화와 병 그리고 죽음도 마음에는 몸의 순수지선입니다. 심지어 살인이나 강간 같은 입에 담기 어려운 행동을 한 몸이라고 하여도 몸 그 자체의 진실인 순수지선을 믿습니다. 왜냐하면 그러한 비극은 근본적으로 몸의 진실을 알지 못해서 발생하는 비극이기 때문입니다. 생명과 사랑의 몸이라서 생명과 사랑 밖에 할 것이 없다는 사실을 모르면 뜻밖에 생명과 사랑의 몸으로 생명과 사랑을 어기거나 부정합니다.

우리가 이러한 방식으로 몸을 이해하면, 문제 해결은 매우 쉽고 간단합니다. 몸의 진실을 이해하는 것입니다. 그런데 이 이해를 위한 가장 확실한 기초가 몸의 순간 변화인 감정입니다. 우리가 감정에 나아가 왜 그러한 방식으로 존재하게 되는지 그에 고유한 본성의 필연성을 영원무한으로 확인하면, 이로부터 몸의 진실 또한 분명하게 드러납니다. 그 결과 마음은 절대적으로 몸을 억제하거나 부정하지 않습니다. 이처럼 마음이 몸이나 감정의 현상이 아닌 감정 자체의 진실로부터 몸의 진실을 이해하면, 그와 동시에 몸은 최고의 능동성으로 최고의 활동을 할 수 있게 됩니다.

마음이 몸의 순수지선을 절대적인 믿음으로 확인한 이상, 몸도 절대적인 자유로 순간 변화합니다. 마음이 자기 몸의 순간 변화인 감정에 대한 이해를 신을 향한 지적인 사랑으로 이해하면 할수록 그에 비례하여 몸은 자신의 순간 변화를 보다 더 적극적으로 무한히 할 수 있게 됩니다. 그리고 그와 동시에 마음도 보다 더 적극적으로 몸의 무한 변화에 대한 개념을 형성할 수 있게 됩니다. 그 결과 마음은 신을 향한 지적인 사랑을 보다 더 적극적으로 무한히 형성할 수 있게 됩니다. 따라서 마음은 자기 몸에 대한 절대적인 긍정과 함께 자기 몸과 함께 영원성 그 자체로 존재할 수 있게 됩니다.

이 사실은 다음의 정리에 근거하여 쉽게 이해할 수 있습니다.

제5부 정리 30: 감정으로 존재하는 신

우리의 마음이 자신과 자기 몸을 영원의 상(相) 아래에서 이해하는 한에서 마음은 자신과 자기 몸이 신 안에 존재하며 신에 의해서 생각된다는 사실을 이해한다.

그러므로 감정과학은 그 어떤 이유로도 감정을 함부로 하지 않습니다. 현실적으로 존재하는 감정에 나아가 그에 고유한 본성의 필연성을 인식함으로써 감정을 느끼는 몸을 절대적으로 긍정합니다. 그리고 다시 이에 기초하여 몸의 순간 변화인 감정에 대해서 그것의 순수지선을 믿고 배웁니다. 이 배움으로 마음은 자신과 자기의 몸을 영원무한의 생명으로 확인하며, 이 사실에 근거하여 마음은 자신의 몸을 최대한 건강하고 아름답게 가꾸기 위해서 노력합니다. 왜냐하면 지금 자신의 몸이 영원무한의 생명과 사랑의 몸이라는 사실을 영원의 필연성으로 이해하기 때문입니다.

제5부 정리 40: 자기 구원의 축복

감정이 보다 더 큰 완전성을 가지면 가질수록 그 감정은 보다 더 능동적으로 존재하며 그만큼 보다 덜 수동적으로 존재한다. 이것은 역으로도 성립한다. 즉, 감정이 보다 더 능동적으로 존재하면, 그 감정은 보다 더 큰 완전성으로 존재한다.

분석

감정은 자기이해의 직관과학을 통해서 자기 존재의 완전성을 이해합니다. 이 이해로부터 감정은 외부 원인으로 자신을 이해하는 수동성의 제약을 받지 않게 되며, 그만큼 감정은 능동성으로 존재합니다. 그리고 이 논리는 당연히 역으로도 성립합니다. 감정의 자기이해는 수동적 인식이 아니라 능동성 그 자체이기 때문에 이 사유로부터 감정은 자기 존재의 완전성을 순수지선 그 자체로 이해합니다. 그렇기 때문에 감정이 능동으로 존재하면 그에 비례하여 감정은 자신의 완전성을 확인합니다. 끝으로 이 정리에 대한 스피노자의 '보충'을 살펴보겠습니다.

이로부터 다음과 같은 결론이 나온다. 즉 정신의 남아 있는 부분은 그 크기에 상관없이 다른 부분보다 더 완전하다. 왜냐하면 정신의 영원한 부분은 (제5부의 정리 23과 29에 의하여) 지성이며, 오로지 이 지성을 통해서 우리들이 활동적이라고 일컬어지기 때문이다(제3부의 정리 3에 의하여). 그러나 그 소멸하는 것을 우리들이 제시한 것은 표상력 자체인데(제5부의 정리 21에 의하여), 오로지 그것을 통해서 우리들은 작용받는다고 일컬어진다(제3부의 정리 3과 정서의 일반적 정의에 의하여). 그러므로 (제5부의 정리 40에 의하여) 전자는 그 크기에 상관없이 후자보다 더 완전하다.

_스피노자 『에티카』, 제5부 정리 40, 보충.
/강영계 번역(p.364.).

신을 향한 지적인 사랑이 마음 안에서 얼마나 큰 비중을 차지하는지는 전혀 중요하지 않으며 고려의 대상이 아닙니다. 즉, 이 사랑은 종합이나 양으로 이해되는 것이 아닙니다. 마음이 신을 향한 지적인 사랑으로 감정을 이해하면, 그 즉시 이 사랑은 마음에서 가장 중요한 자리를 갖습니다. 이 자리가 마음 안에서 얼마나 많은 영역을 차지하는가는 전혀 중요하지 않습니다.

제5부 정리 15: 신을 향한 지적인 사랑

자기 자신과 자신의 감정을 명석하고 판명하게 이해하는 사람은 신을 사랑하며, 자기 자신과 자신의 감정을 더 많이 이해할수록 더욱 더 신을 사랑하게 된다.

제5부 정리 16: 신을 향한 지적인 사랑

자기이해의 감정이 형성하는 신을 향한 지적인 사랑은 마음 안에서 가장 중요한 자리를 갖는다.

마음이 신을 향한 지적인 사랑을 느끼면, 그 즉시 마음은 이 사랑만으로 자신의 감정 및 자신이 경험하는 자연의 모든 감정을 이해하기를 욕망하게 됩니다.

제5부 정리 26: 욕망의 이성적 판단

마음이 감정에 대한 이해를 세 번째 종류의 인식으로 형성하는 능력을 강화하면 할수록 마음은 이 인식으로 감정을 이해하기를 욕망한다.

이 욕망으로 인해 마음이 신을 향한 지적인 사랑을 누리면 누릴수록 마음은 이 사랑에 대한 인식과 욕망을 강화하게 됩니다.

제5부 정리 20: 다 좋은 세상

자기이해의 감정이 형성하는 신을 향한 지적인 사랑은 질투나 시기 등과 같은 감정에 의해서 영향을 받거나 오염되는 일이 절대적으로 없다. 오히려 사람들이 신을 향한 지적인 사랑에 참여함으로써 서로에게 사랑의 연대를 확인하면, 사람들은 그만큼 보다 더 많은 사람들이 신과 연합하고 있다고 생각하게 되며 그에 비례하여 신을 향한 지적인 사랑은 강화된다.

그 결과 마음은 절대적인 생명, 즉 영원무한의 생명과 사랑 안에서 자신과 모든 감정 그리고 그 주체로서 몸을 이해합니다. 그 어떤 감정 또는 그 어떤 몸도 이 사실을 부정할 수 없습니다.

제5부 정리 37: 이해하는 사랑의 힘

자연 안에 존재하는 그 어떤 감정도 신을 향한 지적인 사랑에 대립되지 않으며 파괴할 수 없다.

제5부 정리 39: 소중한 나의 몸

나의 몸이 가장 많은 활동을 할 수 있게 된다면, 나의 마음은 영원성 그 자체로 존재하게 된다.

그러므로 스피노자가 보충을 다음과 같이 마무리하는 것은 진리의 필성이면서 동시에 절대적인 힘을 증명합니다.

그러므로 (제5부의 정리 40에 의하여) 전자는 그 크기에 상관없이 후자보다 더 완전하다.

신을 향한 지적인 사랑은 종합의 개념이 아니라 분석의 개념입니다. 이 사랑은 마음이 형성하는 자기이해의 진실 그 자체라서 종합으로 이해될 수 없습니다. 그렇기 때문에 우리가 신을 향한 지적인 사랑을 배우지 않아서 그 사랑으로 살아본 적이 없다고 해도, 지금 우리가 이 사랑을 배움으로써 삶의 모든 순간에서 느끼고 경험하는 감정을 이해하면, 그 즉시 우리는 영원무한의 생명과 사랑을 누리게 되는 축복을 받습니다. 아무리 삶의 대부분이 이 사랑을 어기거나 부정했다고 해도, 삶의 어느 작은 순간에 이 사랑을 이해하면 그것으로 그 삶은 영원무한의 축복으로 구원받습니다. 따라서 진정으로 중요한 것은 신을 향한 지적인 사랑을 배워서 사는 데에 있습니다.

제5부 정리 41: 본래 성스럽게 태어난 사람

비록 우리가 우리의 마음이 영원하다는 것을 알지 못했다고 해도 우리는 여전히 경건함과 신을 향한 믿음 그리고 윤리학 제4부에서 제시했던 것으로서 용기와 고결함에 관련된 모든 것들을 가장 중요한 것으로 생각하도록 되어 있다.

분석

인간은 본래부터 경건함과 신을 향한 믿음 그리고 용기와 고결함을 좋아합니다. 이 사실을 맹자(孟子)는 인간 본성의 선함으로써 '성선'(性善)이라고 주장했으며, 그에 앞선 공자는 생겨날 때부터 성스러운 사람이라는 뜻에서 '생이지지'(生而知之)라고 하였습니다. 성선(性善)은 인간의 몸에 고유한 진실이 영원의 필연성으로 순수지선이기 때문에 인간의 마음도 본래부터 순수지선이라는 사실을 확인합니다. 생이지지(生而知之)의 생(生)은 몸이 생겨났다는 뜻입니다. 생겨난 몸은 순수지선을 본성의 필연성으로 갖기 때문에 마음은 자기 몸의 생김과 동시에 자기 몸과 자신의 순수지선을 이해한다는 뜻입니다.

스피노자는 학문에 대한 맹자와 공자의 생각과 교차합니다. 비록 우리가 자기이해의 감정과학을 배우지 않아도 우리는 이 학문이 추구하는 삶을 살도록 결정되어 있다고 주장합니다. 맹자의 성선과 공자의 생이지지에 대한 확고부동한 믿음이 있습니다. 이 사실이 학문에서 중요한 이유는 무엇일까요? 여기에 사람의 진실을 가르치는 학문이 있다고 상상해 봅시다. 그런데 뜻밖에 이 학문은 사람을 두 부류로 나눕니다. 타고난 자질이 선해서 이 학문을 연마할 수 있는 사람과 그렇지 않은 사람이 있다고 합니다. 이를 전제로 후자의 사람에게는 의지력을 길러서 열심히 학문에 매진하라고 합니다. 이러한 학문을 대표하는 것이 칸트의 '선의지'입니다.

그러나 칸트와 같은 방식으로 인간을 배우는 학문론을 제시하면 사람은 자기 진실을 이해함에 있어서 반드시 자포자기의 비극에 빠지게 되어 있습니다. 여기에는 두 가지 치명적인 오류가 있습니다. 우선, 사람을 배움에 있어서 의지력을 강조하는 것은 사람 그 자체의 본성에 어두운 것입니다. 사람의 겉모습이나 살아가는 현상을 종합한 다음 사람의 본성을 해석하면 이런 오류가 발생합니다. 다음으로 이러한 오류에 빠진 학문론은 사람들을 다그칩니다. 제대로 된 현상을 보여줄 것을 강요하며 동시에 그에 대한 판정을 받으라고 합니다. 그 결과 의지력을 극도로 강조합니다. 이로부터 경건함과 신앙심을 강요하며, 그것을 행동으로 증명하라고 합니다.

이와 같은 방식으로 학문을 제시하며 사람들에게 강요하면, 사람 스스로 자포자기에 빠지지 않을 수 없습니다. 또한 다른 한편으로 학문 자체도 사람에 대한 믿음을 상실합니다. 학문을 할 수 있는 사람과 할 수 없는 사람으로 구분합니다. 이 지점에서 우리 스스로 생각해야 합니다. 우리에게 이러한 학문을 배울 이유가 있을까요? 사람에 대해서 배우자고 했는데, 갑자기 배울 수 있는 사람과 배울 수 없는 사람이 따로 있다고 합니다. 이때 스피노자가 등장합니다. 사람은 본래부터 성선의 사람이라서 본래부터 자신의 선함을 이해하도록 태어났다고 우리를 일깨워줍니다.

다시 앞에서 제기한 질문으로 돌아가겠습니다. 이 사실이 왜 중요할까요? 우선, 우리가 사람에 대한 이해를 현상에 대한 해석이 아닌 생김 그 자체의 진실로 형성하면, 스피노자의 주장이 진리의 필연성으로 분명합니다. 사람의 진실은 본래부터 성선(性善)이라서 이 사실을 따로 배우지 않아도 그 진실대로 살아가는 생이지지(生而知之)입니다. 다음으로, 이 사실이 분명할 때 우리 모두는 자기 몸에 나아가 자기 진실을 배워서 이해할 수 있습니다. 여기에는 영원의 필연성이 존재하기 때문에 학문에 실패할 수 있다는 우연이나 예외가 절대적으로 없습니다. 자기 스스로 자기 몸에 대해서 생각해 보면 자기 몸이 가지고 있는 성선의 진실을 자기 스스로 이해합니다.

우리가 이 진실을 밝히고 나면, 그때 비로소 사람 스스로 자신의 진실을 배워서 사는 것이 얼마나 기쁨이고 축복인지 깨닫게 됩니다. 가장 중요한 것은 사람의 진실을 배우는 스피노자의 윤리학은 우리 스스로 우리 안에 본래부터 가지고 있는 자기 진실을 자기이해로 확인하는 것이므로 의지력 같은 억지가 필요 없습니다. 자기이해의 정신력이 필요하며, 이것은 정신이 자기 안에 본래부터 가지고 있는 것을 이해하는 것이라서 의지력이 아닙니다. 이 사실로부터 우리는 왜 사람이 잘못된 행동을 하는지 이해합니다. 사람은 성선(性善)으로 태어났기 때문에 태어나자마자 자신의 성선을 이해하는 생이지지(生而知之)인데, 뜻밖에 자신의 성선을 배워서 알지 못하면 자기 스스로 자신의 성선을 어기는 잘못을 합니다.

우리 모두는 삶의 한 순간에 잘못된 행동을 할 수도 있고 경험할 수도 있습니다. 그로 인하여 우리가 겪는 슬픔이 천 가지 만 가지입니다. 이 문제 때문에 우리는 학문을 연마합니다. 그런데 어떤 학문은 의지력을 요구합니다. 감정을 억제하며 통제하는 의지력을 기르면 잘못을 하지 않는다는 것입니다. 그런데 이것을 할 수 없다는 자포자기 때문에 그런 비극이 발생하는 것이 아닐까요? 이 지점에서 스피노자는 성선으로 살도록 결정되어 있는 사람이 뜻밖에 자신의 감정이 성선에 뿌리를 두고 있다는 사실을 배우지 않아서 그런 비극이 발생한다고 합니다. 그래서 문제해결의 방법도 간단합니다. 매순간 순수지선의 감정을 느낄 때마다 다시 감정의 순수지선을 이해하는 것입니다.

성선(性善)으로 태어났기 때문에 태어나자마자 자신의 성선을 알아서 살아간다는 것이 생이지지(生而知之)입니다. 그렇기 때문에 자신의 성선을 배워서 살아간다는 것이 학이지지(學而知之)입니다. 생이지지로 생겨났기 때문에 학이지지하며 놀이합니다. 이 진실을 모르게 되면, 자신의 성선을 알아서 살아가는 생이지지의 사람이 뜻밖에 성선을 어기는 잘못을 범하게 됩니다. 이 이유로 학이지지가 삶의 기쁨과 행복을 위한 방법이며, 스피노자는 이 기쁨을 신을 향한 지적인 사랑으로 제시합니다. 이것이 스피노자 윤리학의 전체규모입니다. 칸트는 성선을 몰라서 생이지지도 모르고, 끝내 학이지지도 모릅니다. 맹목적으로 선의지만을 강조하는 비극이 칸트의 학문론입니다.

그러므로 우리 스스로 답을 내리고 어떤 학문론이 진실로 우리 모두의 행복을 위한 방법인지 스스로 선택해야 합니다. 선의지를 강조하는 칸트의 윤리학(순수이성비판 및 그에 기초한 실천이성비판)으로 우리 자신을 공부하는 것이 옳은 것일까요? 아니면 자기이해를 가르치는 스피노자의 윤리학으로 우리 자신을 공부하는 것이 옳은 것일까요? 우리 자신의 성선(性善)을 확인함으로써 우리 자신을 제대로 배워서 살자는 학문론이 우리를 참된 행복으로 인도합니다. 애초부터 우리에게 성선이 없다거나 또는 있는지 없는지 알 수 없다는 칸트의 선의지로 살아가면 행복은 아직 없는 것입니다. 이미 없는 행복을 어떻게 구할 수 있을까요? 희망고문에 빠져서 끝내 자포자기로 끝나는 것이 칸트의 행복론입니다.

제5부 정리 42: 본래 행복

최고의 행복은 덕의 보상이 아니라 덕 그 자체이다. 우리는 쾌락을 억제하기 때문에 최고의 행복을 즐기는 것이 아니다. 반대로 덕 그 자체인 최고의 행복을 누리기 때문에 우리는 쾌락을 억제할 수 있다.

분석

신을 향한 지적인 사랑, 즉 감정의 자기이해가 곧 최고의 행복입니다. 감정으로 존재하며 살아가는 우리가 우리 자신의 감정 및 자연의 감정을 신을 향한 지적인 사랑으로 이해한다는 것은 모든 감정이 존재 그 자체로 최고의 완전성 또는 순수지선을 본성으로 갖는다는 사실을 이해하는 것입니다. 우리가 영원무한의 필연성으로 감정을 이해하는 한에서 신은 감정으로 존재한다는 사실이 우리에게 분명합니다. 그렇기 때문에 우리는 지금 현실적으로 존재하는 감정이 신의 존재를 증명하는 성스러운 것임을 이해합니다.

이 분명한 이해로부터 우리는 감정을 영원무한의 필연성으로 인식하기를 욕망합니다. 왜냐하면 최고의 완전성과 순수지선으로 존재하는 것을 느끼며 즐기는 유일한 방법이 감정을 신을 향한 지적인 사랑으로 이해하는 것이기 때문입니다. 이러한 욕망의 이성에 근거하여 감정에 대한 타당한 인식을 형성하면, 그 즉시 우리는 감정에 예속되는 부자유로부터 자유롭게 됩니다. 감정 스스로 자기 존재의 필연성을 자기 본성의 필연성으로 확인하는 것 이상의 자유가 없습니다. 본래부터 이러한 방식으로 감정이 존재하기 때문입니다.

감정이 자기이해를 통해서 자기 본성을 영원무한의 필연성으로 인식함으로써 자기의 완전성과 순수지선을 명석판명하게 이해하는 것이 신을 향한 지적이 사랑이며, 스피노자는 이것을 간단하게 '덕'(德)으로 요약합니다.

> **제5부 정리 25: 욕망의 이성 = 덕**
>
> 마음이 자기 존재를 유지하기 위해서 할 수 있는 최고의 노력 또는 최고의 덕은 세 번째 종류의 인식에 의하여 감정을 이해하는 것이다.

이 사실로부터 감정의 자기이해, 즉 '신을 향한 지적인 사랑'을 통해서 감정이 누리게 되는 최고의 행복은 덕 자체이지 덕을 행한 결과 그에 대한 보상으로 주어지는 것이 아닙니다. 이 사실은 다음의 정리에 근거하여 보아도 당연합니다.

> **제5부 정리 15: 신을 향한 지적인 사랑**
>
> 자기 자신과 자신의 감정을 명석하고 판명하게 이해하는 사람은 신을 사랑하며, 자기 자신과 자신의 감정을 더 많이 이해할수록 더욱 더 신을 사랑하게 된다.

> **제5부 정리 19: 신의 존재를 증명하는 감정**
>
> 신을 사랑하는 사람은 그에 대한 대가로 신으로 하여금 자신을 사랑하게 노력할 수 없다.

제5부 정리 27: 감정과학의 행복

마음은 세 번째 종류의 인식에 의해서 최고의 자기만족을 누릴 수 있다.

감정이 자기이해가 가져오는 신을 향한 지적인 사랑을 확인하고 그와 동시에 자신이 누릴 수 있는 최고의 행복을 누리게 되면, 감정은 그 즉시 이 사랑만으로 존재하며 활동하기를 바라며 그만큼 감정에 대한 타당하지 못한 인식은 저절로 사라집니다. 여기에는 그 어떤 의지력이 개입하지 않습니다. 감정이 자신의 존재 및 자연의 모든 감정을 영원무한의 필연성으로 이해하면, 감정은 영원무한의 생명과 사랑으로 자신 및 모든 감정을 경외합니다. 그 결과 감정은 감정에 대한 타당한 인식만을 추구하게 되며, 자연스럽게 감정에 대한 타당하지 못한 인식 또는 수동적 인식에 빠지지 않게 됩니다.

그러므로 윤리학을 마무리하는 「정리 42」는 아래의 정리에 기초하여 윤리학 전체를 관통하는 핵심이 무엇인지 요약합니다.

제5부 정리 38: 영원의 생명을 누리는 축복

나의 마음이 두 번째 인식인 이성과 세 번째 인식인 자기이해의 직관과학으로 감정을 이해하면 할수록 그에 비례하여 나의 마음은 나쁜 감정들로부터 영향을 덜 받게 되며, 죽음에 대해서도 덜 두려워하게 된다.

끝으로 스피노자의 증명과 주석을 간단히 살펴보도록 하겠습니다.

정신은 이 신적 사랑 또는 지복을 누리는 것에 의해서 쾌락을 억제하는 힘을 소유한다. 그리고 정서를 억제하는 인간의 힘은 오직 지성에만 있기 때문에, 어떤 사람이든 정서를 억제했기 때문에 지복을 누리는 것이 아니라, 오히려 그와는 반대로 쾌락을 억제하는 힘이 지복 자체에서 생긴다.

_스피노자 『에티카』, 제5부 정리 42, 증명.
/강영계 번역(p.366.).

스피노자의 윤리학은 절대적으로 칸트의 의지력 또는 어떤 목적을 향해 달려가는 의지력의 목적론이 아닙니다. 감정이(몸의 순간 변화에 대한 개념을 형성함으로써 감정으로 존재하는 마음이) 자기이해의 직관과학, 즉 원인과 결과의 필연성을 이해하는 이성의 힘에 근거하여 인과의 필연성을 영원무한으로 이해하는 학문론이 스피노자의 윤리학입니다. 감정이 자신을 영원무한의 필연성으로 이해한다는 사실을 어떻게 알 수 있을까요? 당연히 감정 스스로 이해합니다. 감정이 자기 존재에 관하여 자신이 영원무한의 필연성으로 존재하도록 결정되었음을 자기 스스로 이해하면 감정은 절대적으로 자기 존재를 긍정할 뿐만 아니라 자신의 완전성과 순수지선을 확인합니다. 이것이 곧 신을 향한 지적인 사랑입니다.

우리가 이 사랑으로 살아가면, 생이지지(生而知之)는 학이지지(學而知之)의 축복을 누립니다. 반대로 생이지지(生而知之)니까 학이지지(學而知之)는 필요 없고 생이지지를 실행하는 의지력이 중요하다고 하면 뜻밖에 본래 누려야할 축복을 누리지 못합니다. 전자가 군자(君子) 또는 현인이라면, 후자는 소인(小人) 또는 무지한 자입니다. 따라서 군자(현자)와 소인(무지한 자)은 사람의 본성에 대한 것이 아니라 배워서 사느냐 여부에 달려 있습니다.

여기서 현자가 얼마나 많은 것을 할 수 있는지 그리고 현자는 오직 쾌락에 따라 동요되는 무지한 자보다 훌륭하다는 것이 명백하다. 왜냐하면 무지한 자는 외적 원인에 따라 여러 가지 방식으로 동요되어 결코 영혼의 참다운 만족을 갖지 못할 뿐만 아니라 자신과 신과 사물을 거의 의식하지 않고 살며, 작용받는 것을 멈추자마자 존재하는 것도 멈추기 때문이다. 이에 반하여 현자는 현재로서 고찰되는 한에서 거의 영혼이 흔들리지 않고 자신과 신과 사물을 어떤 영원한 필연성에 의해서 인식하며, 존재하는 것을 결코 멈추지 않고 언제나 영혼의 참다운 만족을 소유한다. 이제 여기에 이르는 것으로서 내가 제시한 길은 매우 어렵게 보일지라도 발견될 수는 있다. 또한 이처럼 드물게 발견되는 것은 물론 험준한 일임이 분명하다. 만일 행복이 눈앞에 있다면 그리고 큰 노력 없이 찾을 수 있다면, 그것이 모든 사람에게서 등한시되는 일이 도대체 어떻게 있을 수 있을까? 그러나 모든 고귀한 것은 힘들 뿐만 아니라 드물다.

_스피노자 『에티카』, 제5부 정리 42, 주석.
/강영계 번역(p.367.).

마지막 문장은 스피노자 윤리학의 마지막 관문입니다. "그러나 모든 고귀한 것은 힘들 뿐만 아니라 드물다."라는 문장에서 우리 모두가 크게 웃지 않으면 스피노자의 윤리학을 제대로 공부하지 않은 것입니다. ㅎㅎㅎ